FRENCH
GCSE REVISION

TECHNOLOGY & MEDIA
SOCIAL ISSUES

 THE LANGUAGE GYM

Imprint: Independently Published

Edited by Dylan Viñales

 THE LANGUAGE GYM

ACKNOWLEDGEMENTS

Our heartfelt thanks to our team of guest proofreaders: Jérôme Nogues, Aurélie Lethuilier, Yusuf Amejee, Najat Taibi, Darren Lester, Corinne Lapworth, Pauline Livreau, Nadim Cham, Lorène Carver, Adélaïde Sorreau-Herve, Julien Barrett, Joanna Asse Drouet & Tom Ball. Their contributions have ensured not only a highly accurate book but also helped make some improvements in terms of choice of lexis. Thank you for your lending your time and expertise to this project.

Our gratitude to Martin Lapworth for his time spent creating online versions of the Sentence Builders contained in this book. These are now available, via subscription, on SentenceBuilders.com. The feedback on the final draft, was instrumental in making some key content decisions and tweaks. Thank you.

Lastly, thanks to all the wonderful, supportive and passionate educators on Twitter who have helped enhance our book with their suggestions and comments, and to the members of the Global Innovative Language Teachers (GILT) Facebook group for their engagement with the Sentence Builders series. We consider ourselves very lucky to have such colleagues to inspire and spur us on.

DEDICATION

For Catrina

- Gianfranco

For Mariana

- Ronan

For Ariella and Leonard

- Dylan

ABOUT THIS BOOK

Welcome,

If you're reading this, it means you've either bought, or are contemplating buying this book.

Either way, thank you.

As with all Language Gym books, our small team has gone to great efforts to produce a high-quality, affordable, no frills resource. Feedback from the three international and three UK-based schools on the content of this book has been overwhelmingly positive. As with our previous publications, the evidence shows that the E.P.I. method really does produce excellent results. As full-time teachers who use these resources across all levels they teach, Ronan and Dylan can also vouch for the method first-hand. We know that the care taken throughout the creation process will reflect in the quality of the resource and do hope that you and your students enjoy using it!

This book is meant as a revision resource for GCSE French. It can be used independently by students as well as for teacher-directed classroom practice. It contains 8 units which focus mainly on the themes: *technology, media and social issues.*

Each unit consists of a knowledge organiser recapping the target sentence patterns and lexical items, a series of receptive vocab-building activities; a set of narrow reading texts and activities; a set of translation tasks. The tasks are graded in order to pose an increasingly demanding but manageable cognitive load and challenge and are based on Dr Conti's P.I.P.O. framework:

Pre-reading tasks (activation of prior knowledge and pre-teaching)

In-reading tasks (intensive exploitation of tasks)

Post-reading tasks (consolidation)

Output (pushed-output tasks)

Consistent with Dr Conti's E.P.I. approach, each of the 8 units in the book provide extensive recycling of the target lexical items both within each unit and throughout the book, across all the dimensions of receptive and productive processing, i.e.: orthography (single letters and syllables), lexis (both words and chunks), grammar/syntax (with much emphasis on functional and positional processing), meaning and discourse. The recycling occurs through input-flooding and forced retrieval through a wide range of engaging, tried and tested, classic Conti tasks (more than 20 per unit). These include student favourites such as slalom writing, faulty translation, spot the missing detail, sentence puzzles, etc.

Thanks,

Gianfranco, Ronan & Dylan

TABLE OF CONTENTS

UNIT	TITLE	PAGE
1	Technology in everyday life (present tense)	1
	Technology in everyday life (past tense)	11
2	Social media (present tense)	17
	Social media (past tense)	26
3	Mobile technology (present tense)	34
	Mobile technology (past tense)	43
4	Pros and cons of new technologies (present tense)	50
	Pros and cons of new technologies (past tense)	59
5	Music (present tense)	66
	Music (past tense)	76
6	Cinema and television (present tense)	83
	Talking about a movie in the past tense	93
7	Charity and voluntary work (present tense + conditional)	103
	Charity and voluntary work (past tense + past conditional)	112
8	Homelessness (present tense)	118
	Homelessness (imperfect)	128

Unit 1. Technology in everyday life (present tense)

Tous les matins, *Every morning,*	**je me réveille** *I wake up*	**avec l'alarme de mon téléphone portable** *with my mobile phone's alarm*

D'habitude, *Usually,* **En général,** *In general,* **La plupart du temps,** *Most of the time,* **Normalement,** *Normally,*	**je m'amuse** *I have fun* **je me détends** *I relax* **je mange des céréales** *I eat cereal* **je passe mon temps** *I spend my time* **je prends le petit-déjeuner** *I have breakfast*	**en faisant des mots-croisés en ligne** *while doing online crosswords* **en jouant à la Playstation** *while playing on the Playstation* **en lisant les informations sur ma tablette** *while reading the news on my tablet* **en regardant des vidéos sur YouTube** *while watching videos on YouTube* **en répondant à mes messages sur WhatsApp** *while answering to my messages on WhatsApp* **en tchattant avec mes amis** *while chatting with my friends*

Du lundi au vendredi, *From Monday to Friday,* **Pendant la semaine,** *During the week,*	**j'utilise mon ordinateur** *I use my computer* **je vais sur internet** *I go on the internet*	**pour faire mes devoirs** *to do my homework* **pour faire des recherches** *to do some research*

De temps en temps, *From time to time,* **Parfois,** *Sometimes,* **Quand j'ai le temps,** *When I have the time,* **Si j'ai le temps,** *If I have the time,*	**j'écoute de la musique** *I listen to music* **je poste des photos** *I post photos* **je regarde des séries** *I watch series* **je télécharge des films** *I download films*	**sur mon compte Instagram** *on my Instagram account* **sur des sites spécialisés** *on specialized sites* **sur Netflix** *on Netflix* **sur Spotify** *on Spotify*

Après avoir dîné, *After having dinner,* **Après avoir fini mes devoirs,** *After finishing my homework,* **Après le collège,** *After school,* **Quand je rentre de l'école,** *When I come back from school,* **Avant de me coucher,** *Before going to bed,* **Le soir,** *In the evening,*	**je parle sur Skype** *I talk on Skype* **j'écris un blog** *I write a blog* **je fais mon travail scolaire en ligne** *I do my schoolwork online* **je joue aux jeux vidéo en réseau** *I play network video games* **je lis des magazines numériques** *I read digital magazines* **je tchatte en ligne** *I chat online*	**avec ma famille** *with my family* **avec mes camarades de classe** *with my classmates* **avec mon frère** *with my brother* **avec mon/ma meilleur(e) ami(e)** *with my best friend* **avec ma sœur** *with my sister* **tout(e) seul(e)** *on my own*

1. Translate into English

a. Je fais mon travail scolaire en ligne

b. J'écris un blog

c. Je télécharge des films

d. Je vais sur internet

e. Je poste des photos

f. Je lis des magazines numériques

g. Je joue aux jeux vidéo en réseau

h. Je tchatte en ligne

i. En répondant à mes messages sur WhatsApp

j. En faisant des mots-croisés en ligne

k. En tchattant avec mes amis

2. Match up

En ligne	Sometimes
Je lis	Crosswords
Des mots-croisés	I write
Je poste	I talk
Portable	Online
Je parle	I read
Je télécharge	I post
Numérique	Digital
Parfois	Mobile
J'écris	I download

3. Complete with the missing words

a. Je tchatte en _____ : *I chat online*

b. J'_____ un blog: *I write a blog*

c. Je vais _____ internet: *I go on the internet*

d. Je _____ des films: *I download movies*

e. Je fais mon _____ scolaire en ligne: *I do my schoolwork online*

f. Je joue aux _____ vidéo en réseau: *I play network video games*

g. Je lis des magazines _____ : *I read digital magazines*

h. Je poste _____ photos: *I post some photos*

i. Je mange en _____ des mots-croisés en ligne:
I eat while doing crosswords online

4. Complete the words

a. Je télé_____ : *I download*

b. Je tch_____ : *I chat*

c. Numé_____ : *Digital*

d. Je l_____ : *I read*

e. En li_____ : *Online*

f. Port_____ : *Mobile*

g. J'éc_____ : *I listen*

h. Par_____ : *Sometimes*

5. Sentence puzzle

a. prends le en petit-déjeuner regardant des Je vidéos

  I have breakfast watching some videos

b. ma Je en informations lisant les sur tablette mange

  I eat reading the news on my tablet

c. Je vidéos regardant des sur YouTube me détends en

  I relax watching videos on YouTube

d. le temps en Whatsapp répondant à mes Je passe messages sur

  I spend time answering to my messages on WhatsApp

e. mes amis Je en tchattant m'amuse avec

  I have fun chatting with my friends

6. Faulty translation – spot the wrong translations and correct them

Après avoir dîné: *After drinking coffee*

Après avoir fini mes devoirs:
Before starting my homework

Après le collège: *After university*

Quand je rentre de l'école:
When I come back from work

Avant de me coucher: *After getting up*

Le soir: *In the morning*

Je fais mon travail scolaire en ligne:
I do my schoolwork on my desk

THE LANGUAGE GYM

7. Spot and supply the missing word. Note: there is one missing word per sentence and it is always a very short one

a. Je m'amuse tchattant avec mes amis

b. Je passe temps en répondant à mes messages sur WhatsApp

c. Avant me coucher je lis des magazines numériques

d. Quand je rentre l'école, je joue aux jeux vidéo en réseau

e. Après avoir dîné, je parle Skype avec mon cousin Tristan

f. Je prends petit-déjeuner en lisant les infos sur ma tablette

g. D'habitude, je vais internet pour faire des recherches

h. La plupart temps, je fais mon travail scolaire en ligne

8. Likely or Unlikely?

a. Je tchatte en ligne

b. Je joue au travail scolaire

c. Je parle à la Playstation

d. Je vais des photos

e. Je joue aux jeux vidéo

f. Je lis avant de me coucher

g. Je fais des recherches sur ma tablette

h. Je prends le petit-déjeuner en tchattant avec mes céréales

9. Multiple-choice quiz

	1	2	3
I relax	J'écris	Je me détends	Je fais
I have fun	Je vais	Je m'amuse	Je regarde
I read	Je poste	Je joue	Je lis
I have (eat)	Je prends	Je parle	J'écoute
I talk	Je parle	Je rentre	Je me couche
I download	Je prends	Je télécharge	Je me douche
I wake up	Je m'amuse	Je me détends	Je me réveille
I chat	Je chattie	Je tchatte	Je chat

10. Gapped sentences

a. D'h_____ je fais _____ travail _____ en _____

b. Le soir, _____ de me coucher je _____ des _____ numériques

c. Quand je _____ de l'école, je joue aux _____ vidéo en réseau

d. Le matin je _____ le petit-déjeuner en _____ des vidéos _____ YouTube

e. Après _____ dîné, je _____ sur Skype avec _____ cousin

f. Je m'_____ en _____ à la Playstation

g. Je me _____ avec l'alarme _____ mon téléphone _____

h. Le soir je _____ des films ou je _____ en ligne avec mes copains

i. Je _____ le goûter en _____ les informations _____ ma tablette

 THE LANGUAGE GYM

TEXT 1 - Sébastien

(1) Tous les matins, je me réveille avec l'alarme de mon téléphone portable. C'est pratique, car je n'ai pas besoin d'acheter de réveil! D'habitude, je prends le petit-déjeuner en lisant les informations sur ma tablette ou en faisant des mots-croisés en ligne. J'aime beaucoup Wordle, car j'apprends de nouveaux mots chaque jour. Parfois aussi, je mange des céréales en regardant des vidéos sur YouTube ou en répondant à mes messages sur WhatsApp. Ça dépend de mon humeur.

(2) Du lundi au vendredi, j'utilise mon ordinateur pour faire mes devoirs et je vais sur internet pour faire des recherches. Je passe en moyenne trois heures par jour sur internet pendant la semaine. Pendant le week-end, en général je passe encore plus de temps sur internet, car j'écoute de la musique sur Spotify ou je regarde des séries sur Netflix. Le week-end dernier, j'ai fait un marathon de films sur Netflix avec mon meilleur ami et c'était génial! Quand j'ai le temps, je télécharge des films sur des sites spécialisés et je poste des photos sur mon compte Instagram.

(3) Quand je rentre de l'école, je fais mon travail scolaire en ligne avec mes camarades de classe. Après avoir fini mes devoirs, si j'ai le temps, je joue aux jeux vidéo en réseau avec mon frère aîné. Nous aimons surtout les jeux de guerre. Après avoir dîné, je parle souvent sur Skype avec mes cousins qui vivent à l'étranger. Ils habitent en Australie, alors ce n'est pas toujours facile à cause du décalage horaire.

(4) Avant de me coucher, j'écris un blog ou je lis des magazines numériques dans ma chambre. D'habitude, je me couche vers dix heures pendant la semaine et un peu plus tard le week-end car je peux faire la grasse matinée le lendemain matin.

11. Find in the paragraph (1) of Sébastien's text

a. I wake up:

b. My mobile phone:

c. I don't need:

d. Alarm clock:

e. While reading:

f. While doing:

g. I learn new words:

h. While answering:

12. Answer the following questions in English about paragraphs (2) & (3)

a. What does he use the computer for during the week?

b. When does he spend more time on the internet, during the week or at the weekend? Why?

c. Who did he watch a lot of Netflix with last weekend? How was it?

d. What does he do when he has the time?

e. What does he do upon returning from school?

f. What does he do with his older brother?

g. What kind of games do they like?

h. Why is it not easy to chat with his cousins?

13. Complete the translation of paragraph 3 below

When I _____, I do my

schoolwork _____ with my

classmates. After _____,

if _____, I play _____

video games with my _____ brother. We

_____ like _____ games. After

_____, I _____ talk on Skype

with my cousins who _____. They

live in Australia, _____ it is not always

_____ because of _____.

14. True, False or Not mentioned?

a. Sébastien wakes up to his alarm clock

b. Sébastien has a younger brother

c. He does crosswords while having breakfast

d. He likes Wordle because it is fun, but he doesn't learn anything from it

e. He spends maximum three hours a day on the internet during the weekend

f. He usually watches Netflix while running

g. Before doing his homework he plays video games with his older brother

 **THE LANGUAGE GYM**

4

15. Try to complete this summary of Sébastien's text with the verbs in the table below

Tous les matins, Sébastien se _____ avec l'alarme de son téléphone portable. Puis, d'habitude, il _____ le petit-déjeuner en _____ les informations sur sa tablette. Il aime beaucoup Wordle, car il _____ souvent de nouveaux mots. Parfois, il mange des céréales en regardant des vidéos sur YouTube ou en _____ à ses messages sur WhatsApp. Pendant la semaine, il _____ son ordinateur pour faire son travail scolaire et il va sur internet pour _____ des recherches. Pendant le week-end, il _____ plus de temps sur internet car il écoute de la musique sur Spotify ou il regarde des séries sur Netflix. Quand il a le temps, il télécharge des films et il _____ des photos sur Instagram. Quand il rentre de l'école, il _____ ses devoirs en ligne avec ses camarades de classe. Après cela, s'il a le temps, il joue aux jeux vidéo en réseau avec son frère. Ils préfèrent les jeux de guerre. Après _____ dîné, il tchatte souvent sur Skype avec ses cousins qui _____ en Australie. Avant de se _____, il écrit un blog ou il _____ des magazines numériques dans sa chambre. D'habitude, il se couche vers dix heures pendant la semaine et un peu plus tard le week-end, car il peut faire la grasse matinée le lendemain matin.

faire	prend	utilise	lit	lisant	répondant	coucher
apprend	fait	réveille	habitent	avoir	passe	poste

16. Translate the following words/phrases from the text above (the first letter is given)

a. During the week: P

b. Digital: N

c. Online: E

d. Sometimes: P

e. Computer: O

f. Some new words: D

g. They prefer: Ils p

h. He downloads: Il t

i. Before going to bed: A

j. Usually: D

k. Alarm: A

l. If he has the time: S

17. Find in the text above the following words and translate them into English

a. Two plural adjectives starting with 'N'

b. A time adverb starting with 'S'

c. A verb starting with 'T'

d. A singular feminine noun starting with 'T'

e. A time adverb starting with 'P'

f. A verb starting with 'R'

g. A noun starting with 'L'

h. A plural masculine noun starting with 'J'

18. Translate into French

a. Some digital magazines

b. Mobile phone

c. I go on the internet

d. I do my homework online

e. While reading the news on my tablet

f. Before going to bed

g. After having dinner

h. Some new words

TEXT 2 - Stéphanie

(1) Du lundi au vendredi, tous les jours, je me réveille à six heures et demie avec l'alarme de mon téléphone portable. Vers sept heures moins le quart, je bois un chocolat chaud et je mange des céréales en tchattant avec mes amis sur des messageries instantanées *[instant messaging]*. J'aime prendre mon temps le matin, donc je me lève toujours plus tôt et comme ça je n'ai pas besoin de me dépêcher. Normalement, je quitte la maison vers huit heures moins le quart.

(2) Pendant la semaine, j'utilise mon ordinateur quotidiennement *[daily]* pour faire mes devoirs l'après-midi et aussi pour jouer à des jeux vidéo en ligne avec mes amis le soir. Au collège, en cours d'informatique, j'apprends à utiliser des logiciels *[software]* comme le traitement de texte *[word processing]* par exemple. J'aime l'informatique car c'est intéressant et aussi très pratique dans la vie de tous les jours. Je pense que c'est également *[also]* important pour trouver un emploi dans l'avenir parce que nous utilisons de plus en plus les nouvelles technologies et que les ordinateurs sont les outils du futur.

(3) Après le collège, je fais mon travail scolaire en ligne avec mes camarades de classe. Une fois *[once]* que mes devoirs sont finis, généralement j'écoute de la musique sur Spotify ou je poste des photos sur mon compte Instagram. Je sais que je passe trop de temps devant un écran tous les jours. Mes parents me disent toujours que je devrais sortir plus de chez moi et faire du sport en plein air *[in the open air]* au lieu de perdre mon temps *[waste my time]* à jouer sur ma console de jeux vidéo pendant des heures.

(4) Le soir, je tchatte en ligne avec ma meilleure amie ou je regarde des séries sur Netflix jusqu'à *[until]* dix heures et demie. Ensuite je me brosse les dents et je me couche car je dois me lever tôt le lendemain matin pour aller à l'école.

19. Find the French equivalent in the first two paragraphs

a. Chatting:

b. I like to take my time:

c. I don't need to rush:

d. I use my computer:

e. Video games:

f. Everyday life:

g. New technologies:

h. The tools of the future:

i. To find employment:

j. From Monday to Friday:

20. Answer the questions below about the text

a. Why does Stéphanie wake up early in the morning?

b. What does she do at 7:45am?

c. Why does she like ICT (3 reasons)?

d. What does she do online with her classmates after school?

e. What do her parents criticize her for? What do they suggest she should do instead (2 details)?

21. Complete with the correct word with the help of the text

a. J'aime _____ mon temps: *I like to take my time*

b. De plus en _____: *More and more*

c. Je _____ en ligne: *I chat online*

d. Les _____ technologies: *New technologies*

e. _____ ma console de jeux: *On my games console*

f. J'utilise mon ordinateur _____ :
I use my computer daily

 **THE LANGUAGE GYM**

22. Match up

En tchattant	*Tools*
Quotidiennement	*Chatting*
Nouvelles	*Schoolwork*
Le travail scolaire	*New*
Sur mon compte	*On my account*
Outils	*Software*
Des logiciels	*ICT*
Informatique	*Daily*

23. Sentence puzzle: rewrite the sentences in the correct order

a. mon J'utilise quotidiennement ordinateur

b. Le meilleure amie soir, en ligne ma je tchatte avec

c. technologies utilisons Nous de plus les nouvelles en plus

d. intéressant J'aime car c'est l'informatique

e. matin prendre le J'aime mon temps

f. sur des Je tchattant mange en instantanées messageries

g. écran Je trop temps de devant passe un

h. l'alarme Je de réveille me avec mon portable téléphone

24. Complete using the options provided below

Du lundi au _____, tous les jours, je me _____ à six heures et demie avec l'alarme de mon téléphone _____. Vers sept heures moins le quart, je _____ un chocolat chaud et je mange des céréales en _____ avec mes amis sur des _____ instantanées *[instant messaging]*. J'aime _____ mon temps le matin, donc je me _____ toujours plus tôt et comme ça je n'ai pas _____ de me dépêcher. Normalement, je _____ la maison vers huit heures moins le quart.

portable	tchattant	bois	réveille	prendre
quitte	vendredi	lève	messageries	besoin

25. Complete the French sentences

a. J'_____ mon ordinateur: *I use my computer*

b. Je devrais _____ plus de ma maison:
I should get out of my house more

c. Je _____ mon travail scolaire en _____ :
I do my schoolwork online

d. J'aime l'_____ car c'est intéressant:
I like ICT because it is interesting

e. Je lis des magazines _____ dans ma chambre:
I read digital magazines in my bedroom

f. J'_____ à utiliser des _____ :
I learn to use software

g. Je _____ des photos sur mon _____ Instagram:
I post photos on my Instagram account

26. Translate into French

a. Software: L

b. Digital: N

c. To chat: T

d. Online: E

e. Account: C

f. New technologies: N

g. Mobile phone: T

h. Video Games: J

i. On my console: S

27. Complete with the missing words

a. Je poste _ _ _ photos _ _ _ mon compte Instagram

b. Je lis _ _ _ magazines numériques _ _ _ _ ma chambre

c. Après _ _ _ _ _ fini mes devoirs je joue _ _ _ jeux vidéo

d. J'apprends _ utiliser _ _ _ logiciels

e. Je passe mon temps _ _ répondant à _ _ _ messages _ _ _ WhatsApp

f. J'écoute _ _ la musique _ _ _ Spotify

g. Je prends le petit-déjeuner _ _ tchattant _ _ _ _ mes amis _ _ _ mon téléphone portable

h. Je me réveille _ six heures _ _ _ _ l'alarme _ _ mon portable

28. Anagrams

a. *Software (sing)*: gLeoicil

b. *Time*: Tpsem

c. *Screen*: anÉcr

d. *Mobile phone*: phoneTélé ableortp

e. *Digital (sing)*: uquemériN

f. *Video games*: xeuJ déovi

g. *Account*: omCpte

h. *On*: urS

i. *Computer*: naditeurOr

29. Translate into French

a. After finishing my homework:

b. After listening to music:

c. After having breakfast:

d. After playing video games:

e. After chatting with my best friend:

f. After using my computer:

g. After having dinner:

30. Translate into French

a. I post:

b. I chat:

c. I read:

d. I use:

e. I play:

f. I watch:

g. I listen to:

h. I have fun:

31. Guided translation

a. J_ m_ r_____ à 6h a_____ l'a_____ de m__ t_____ p_____ :
I wake up at 6:00 with the alarm of my mobile phone

b. J_ p_____ le p____-d_____ en t_____ a___ m_ a_____ : *I have breakfast chatting with my friends*

c. J_ p____ d_ p_____ s__ m___ c_____ I_____ : *I post photos on my Instagram account*

d. J_ p____ t___ de t_____ d_____ un é_____ : *I spend too much time in front of a screen*

e. J_ d_____ s_____ p___ au l___ de p_____ m___ t_____ s_ m_ c_____ de j___ v_____ :
I should go out more instead of wasting time on my video games console

f. A___ a____ f___ m_ t_____ s_____, j_ j____ a__ j___ v_____ ou j_ t_____ avec mes amis:
After finishing my schoolwork, I play video games or I chat with my friends

g. J'_____ m_ o_____ p_ f___ d__ r____ p___ m_ d_____ :
I use my computer to do research for my homework

h. J_ m'_____ en j_____ s___ m_ t_____ : *I have fun playing on my tablet*

32. Write a paragraph for Robert in the FIRST person singular (je joue, je fais) and for Aisha in the THIRD person singular (elle lit, elle fait, etc.)

Robert	Aisha
▪ I wake up to the alarm of my mobile phone at 6:00	▪ She wakes up at 7:00 while listening to music on Spotify
▪ I shower, then I have breakfast with my brother	▪ She has breakfast with her little sister while watching videos on YouTube
▪ I have cereal with milk while chatting with my friends on WhatsApp	▪ She eats bread and jam and drinks an orange juice and a hot chocolate
▪ After breakfast, I shower, get dressed, then I brush my teeth while listening to music on Spotify	▪ She showers, gets dressed and then brushes her teeth while answering her messages on WhatsApp
▪ I leave my home around 8:00	▪ She leaves the house at 8:30
▪ At school, I cannot use my mobile phone, but we use the tablet a lot in lessons	▪ At school, she uses her computer to do some research
▪ In the ICT lessons we learn to use word processing and other software	▪ In the music lessons, she uses software like GarageBand to play music
▪ After school, I use my computer a lot to do my homework	▪ After school, she reads the news on her tablet or she relaxes while doing online crosswords
▪ For some subjects, I do the schoolwork online with my friends	▪ From time to time, she does her schoolwork online with her classmates
▪ After finishing my homework, I play on the Playstation, I post photos on Instagram or share funny videos on Facebook	▪ After finishing her homework, she talks on Skype with her boyfriend or posts photos on Instagram
▪ Sometimes, I use Skype to chat with my cousins who live in Australia	▪ Most of the time, she also watches a series on Netflix in the living room with her mum
▪ In the evening, I usually write my blog	▪ In the evening, she usually chats with her friends or reads digital magazines
▪ Before going to bed, I generally read digital magazines or watch series on Netflix	▪ Before going to bed, she plays network video games with her friends or sometimes she writes her blog

Key questions

Comment utilises-tu les nouvelles technologies dans ta vie de tous les jours?	*How do you use new technologies in your everyday life?*
Qu'est-ce que tu fais généralement sur ton ordinateur?	*What do you do generally do on your computer?*
Quel est ton jeu vidéo préféré?	*What is your favourite video game?*
Pourquoi utilises-tu internet normalement?	*What do you normally use internet for?*
Aimes-tu les nouvelles technologies? Pourquoi?	*Do you like new technologies? Why?*
Tu as un téléphone portable? Depuis quand?	*Do you have a mobile phone? Since when?*
Tu utilises ton téléphone portable pour tes loisirs? Comment?	*Do you use your mobile phone for leisure? How?*
Tu as une tablette aussi? Est-ce que tu aimes ça? Pourquoi?	*Do you also have a tablet? Do you like it? Why?*
Combien de temps passes-tu en moyenne sur internet par jour?	*How much time do you spend on average on the internet per day?*
Tu préfères faire tes devoirs avec ou sans internet? Pourquoi?	*Do you prefer doing your homework with or without internet? Why?*
Tu penses que les jeunes d'aujourd'hui passent trop de temps devant un écran? Quel est le danger?	*Do you think that today's youngsters spend too much time in front of a screen? What is the danger?*

Unit 1. Technology in everyday life (past tense)

Hier matin, *Yesterday morning,*	**je me suis réveillé(e)** *I woke up*	**avec l'alarme de mon téléphone portable** *with my mobile phone's alarm*

Ensuite, *Afterwards,* **Peu après,** *Shortly after,* **Puis,** *Then,* **Vers sept heures,** *Around 7am,*	**j'ai bu un jus d'orange** *I drank an orange juice* **j'ai mangé des crêpes** *I ate some pancakes* **j'ai pris le petit-déjeuner** *I had breakfast*	**en faisant des mots-croisés en ligne** *while doing online crosswords* **en jouant à la Playstation** *while playing on the Playstation* **en lisant les informations sur ma tablette** *while reading the news on my tablet* **en regardant des vidéos sur YouTube** *while watching videos on YouTube* **en répondant à mes messages sur WhatsApp** *while answering to my messages on WhatsApp* **en tchattant avec mes amis** *while chatting with my friends*

Il y a deux jours, *Two days ago,* **Lundi dernier,** *Last Monday,*	**j'ai utilisé mon ordinateur** *I used my computer* **je suis allé(e) sur internet** *I went on the internet*	**pour éditer une vidéo** *to edit a video* **pour faire des recherches** *to do some research*

Avant-hier, *The day before yesterday,* **Hier après-midi,** *Yesterday afternoon,* **La semaine dernière,** *Last week,* **Mercredi après-midi,** *On Wednesday afternoon,*	**j'ai écouté de la musique** *I listened to music* **j'ai posté des photos** *I posted photos* **j'ai regardé des séries** *I watched series* **j'ai téléchargé des films** *I downloaded films*	**sur mon compte Instagram** *on my Instagram account* **sur des sites spécialisés** *on specialised sites* **sur Netflix** *on Netflix* **sur Spotify** *on Spotify*

Après avoir dîné, *After having dinner,* **Après avoir fini mes devoirs,** *After finishing my homework,* **Après le collège,** *After school,* **Quand je suis rentré(e) de l'école,** *When I came back from school,* **Avant de me coucher,** *Before going to bed,* **Le soir,** *In the evening,*	**j'ai parlé sur Skype** *I talked on Skype* **j'ai écrit un blog** *I wrote a blog* **j'ai fait mon travail scolaire en ligne** *I did my schoolwork online* **j'ai joué aux jeux vidéo en réseau** *I played network video games* **j'ai lu les informations en ligne** *I read the news online* **j'ai tchatté en ligne** *I chatted online*	**avec mon cousin** *with my cousin* **avec mes amis** *with my friends* **avec mon petit frère** *with my little brother* **avec mon/ma petit(e) ami(e)** *with my boyfriend/girlfriend* **avec ma grande sœur** *with my big sister* **tout(e) seul(e)** *on my own*

THE LANGUAGE GYM

1. Match up

Le soir	The day before yesterday
Hier	Two days ago
Avant-hier	Last week
Puis	In the evening
Avant de me coucher	Then
Quand je suis rentré(e)	Yesterday afternoon
Hier après-midi	Yesterday
La semaine dernière	When I came back
Il y a deux jours	Before going to bed

2. Complete

a. Les mots-_____ : *Crosswords*

b. Les _____ vidéo: *Videogames*

c. Le _____ scolaire: *Schoolwork*

d. Les magazines _____ : *Digital magazines*

e. En _____ : *Online*

f. Toute _____ : *On my own (fem)*

g. Le téléphone _____ : *Mobile phone*

h. Mon _____ : *My account*

3. Complete with the missing verb forms

a. Avant-hier, j'ai _____ sur Skype avec mon meilleur ami

b. Mercredi après-midi, j'ai _____ des magazines numériques

c. Avant de me coucher, j'ai _____ de la musique dans ma chambre

d. Hier, j'ai _____ aux jeux vidéo en réseau

e. Le week-end dernier, j'ai _____ une série sur Netflix

f. Vers sept heures, j'ai _____ le petit-dejeuner en _____ des mots-croisés en ligne

g. Cet après-midi, je suis _____ sur internet pour _____ des recherches

h. Hier soir, j'ai _____ un blog et j'ai _____ sur ma tablette

4. Complete the table with the perfect tense forms

Present	Perfect tense
Je joue	
Je bois	
Je prends	
J'écris	
Je mange	
Je discute	
Je poste	
Je tchatte	

5. Break the flow then translate into English

a. Jaijouéauxjeuxvidéoenréseau

b. Jaiprislepetit-déjeunerenfaisantdesmots-croisésenligne

c. JairegardédessériessurNetflix

d. JaibuunchocolatchaudenrépondantàmesmessagessurWhatsApp

e. Jaimangédescéréalesenlisantunmagazinenumérique

f. Jesuisallésurinternetpourfairedesrecherches

g. JaimangédescrêpesenregardantdesvidéossurYouTube

h. Jaibuuncaféenlisantlesinformationssurmatablette

i. Jaidînéenjouantsurmontéléphoneportable

j. JaibronzéenécoutantdelamusiquesurSpotify

TEXT 1 - Sébastien

Hier matin, je me suis réveillé tôt avec l'alarme de mon téléphone portable. C'est pratique, car je n'ai pas besoin d'acheter de réveil! Ensuite, j'ai bu du lait chaud en lisant les informations sur ma tablette et en faisant des mots-croisés en ligne. J'aime beaucoup Wordle, car j'apprends de nouveaux mots chaque jour. Puis, j'ai mangé des œufs et du jambon en regardant des vidéos sur YouTube et en répondant à mes messages.

Lundi dernier, j'ai utilisé mon ordinateur pour faire mes devoirs et je suis allé sur internet pour faire des recherches. Je passe en moyenne trois heures par jour sur internet pendant la semaine, mais hier j'en ai passé six ! Pendant le week-end, en général je passe encore plus de temps sur internet car j'écoute de la musique sur Spotify ou je regarde des séries sur Netflix. Le week-end dernier, j'ai fait un marathon de films sur Netflix avec mon meilleur ami et c'était vraiment génial! Par ailleurs *[in addition]*, j'ai eu le temps de télécharger des films sur des sites spécialisés et j'ai posté de nouvelles photos sur mon compte Instagram.

Quand je suis rentré de l'école, j'ai fait mon travail scolaire en ligne avec mes camarades de classe. Après avoir fini mes devoirs, j'ai joué aux jeux vidéo en réseau avec mon frère aîné. Nous aimons surtout les jeux de guerre. Après avoir dîné, j'ai parlé sur Skype avec mes cousins qui vivent à l'étranger. Ils habitent en Australie, alors ce n'est pas toujours facile à cause du décalage horaire.

Avant de me coucher, j'ai écrit un blog et j'ai lu des magazines numériques dans ma chambre. D'habitude, je me couche vers dix heures pendant la semaine mais hier je me suis couché un peu plus tôt, car j'étais très fatigué.

6. Find in the text the French equivalent for:

a. I woke up early:

b. I drank hot milk:

c. I ate eggs:

d. I used my computer:

e. I went on the internet:

f. I spent six (hours):

g. I did my schoolwork:

h. It was really great:

i. I had the time:

j. I came back from school:

k. I talked:

l. I read digital magazines:

7. The sentences below have been copied incorrectly from the text. Correct them

a. Je suis réveillé tôt

b. Je n'ai pas besoin acheter de réveil

c. J'ai bu lait chaud faisant des mots-croisés

d. J'ai allé sur internet pour faire du recherches

e. J'eu le temps télécharger des films

f. J'ai joué les jeux vidéo en réseau

g. Je parlé sur Skype avec mes cousins que vivent l'étranger

8. Complete the sentences below based on Sébastien's text

a. Yesterday morning, Sébastien drank _____ while _____

b. He likes Wordle _____ because he _____

c. He ate _____ while watching YouTube and _____

d. On average he _____ on the internet during the week

e. Last weekend he did a Netflix marathon with _____

f. When he came back from school he did _____

TEXT 2 - Stéphanie

Vendredi matin, je me suis réveillée à six heures et demie avec l'alarme de mon téléphone portable. Vers sept heures moins le quart, j'ai bu un jus de pomme et j'ai mangé des crêpes avec du beurre en tchattant avec mes amis sur des messageries instantanées. J'aime prendre mon temps le matin, donc je me lève toujours plus tôt et comme ça je n'ai pas besoin de me dépêcher. Ensuite, j'ai quitté la maison vers huit heures moins le quart.

Pendant la journée, j'ai utilisé mon ordinateur pour faire des recherches et après j'ai aussi joué à des jeux vidéo en ligne avec mes amies le soir. Au collège, en cours d'informatique, j'ai appris à utiliser un logiciel qui s'appelle le traitement de texte. J'aime l'informatique car c'est intéressant et je trouve que c'est aussi très pratique dans la vie de tous les jours. Je pense que c'est également important pour trouver un emploi dans l'avenir parce que nous utilisons de plus en plus les nouvelles technologies dans le monde du travail et que selon moi les ordinateurs sont les outils du futur.

Après le collège, j'ai fait mon travail scolaire en ligne avec mes meilleures copines. Je trouve qu'il est plus facile de travailler en groupe pour certaines matières. Après avoir fini mes devoirs, j'ai écouté des chansons de ma chanteuse préférée sur Spotify, j'ai pris des photos de moi avec mon téléphone portable et j'ai ensuite posté ces photos sur mon compte Facebook. Je sais que je passe trop de temps devant un écran tous les jours. Mes parents me disent constamment que je devrais sortir plus de chez moi et faire du sport en plein air au lieu de perdre mon temps à jouer sur ma console de jeux vidéo pendant des heures.

Le soir, j'ai tchatté en ligne avec ma meilleure amie et j'ai regardé des séries sur Netflix jusqu'à dix heures et demie. Ensuite je me suis brossée les dents et je me suis couchée car je devais me lever tôt le lendemain matin pour aller à l'école.

9. Answer the question on Stéphanie's text

a. What did she eat and drink for breakfast?

b. What did she do while eating?

c. What did she do at 7:45?

d. What did she use the computer for? (2 details)

e. What type of software did she learn how to use in her IT lessons at school?

f. What are the tools of the future?

g. Who did she do her schoolwork with?

h. What does she do too much of in her opinion?

10. Rearrange the information below in the same order as it occurs in the text

	I played videos online
	Computers are the tool of the future
	I chatted online with my best friend
	I should get out more
	I like to take my time
	I listened to songs
	I brushed my teeth
	I did my schoolwork

11. Translate into English

a. Portable:

b. En ligne:

c. Travail scolaire:

d. Écran:

e. Chansons:

f. Nouvelles:

g. Outils:

h. Compte:

12. Complete

a. Vendredi matin, je me suis _____ à six heures et demie avec l'alarme de mon téléphone portable.

b. J'ai _____ un jus de pomme et j'ai _____ des tartines avec du beurre

c. J'ai _____ la maison vers huit heures moins le quart

d. J'ai _____ mon ordinateur pour faire des recherches

e. J'ai aussi _____ à des jeux vidéo en ligne

f. Après avoir _____ mes devoirs, j'ai _____ des chansons

g. J'ai _____ des photos de moi avec mon téléphone portable. J'ai ensuite _____ ces photos sur mon compte Facebook

h. Le soir, j'ai _____ en ligne avec ma meilleure amie et j'ai _____ des séries sur Netflix

tchatté	pris	écouté	bu	joué	fini
posté	réveillée	mangé	utilisé	quitté	regardé

13. Translate into French

a. *I did my schoolwork*: J'a_ f____ m___ t_____ s_____

b. *I chatted online*: J'a_ t_____ e_ l_____

c. *I listened to some songs*: J'a_ é_____ d__ c_____

d. *I brushed my teeth*: Je m__ s____ b_____ l___ d_____

e. *I used my computer*: J'a_ u_____ m___ o_____

f. *I played video games*: J'a__ j_____ a___ j____ v_____

g. *I finished my homework*: J'a___ f_____ m___ d_____

h. *I drank an apple juice*: J'__ b__ u__ j___ d_ p_____

14. Complete with the missing letters

a. Alar_ _ : *Alarm*

b. En li_ _ _ : *Online*

c. Rés_ _ _ : *Network*

d. Tcha_ _ _ : *Chatted*

e. Table_ _ _ : *Tablet*

f. Ordinat_ _ _ : *Computer*

g. Éc_ _ _ : *Screen*

15. Translate into French

a. Yesterday, I woke up with the alarm of my mobile phone

b. In the evening, I read some digital magazines while listening to my favourite songs

c. Friday morning, I had breakfast while replying to my messages on WhatsApp

d. In the afternoon, we played video games online with our friends

e. On Saturday, I used my computer to do some research online for my schoolwork

f. Yesterday evening, I chatted on Skype with my cousins who live in France

g. After finishing my homework, I watched Netflix on my tablet

Key questions

Comment as-tu utilisé les nouvelles technologies récemment?	*How did you use new technologies recently?*
Qu'est-ce que tu as fait sur ton ordinateur le week-end dernier?	*What did you do on your computer last weekend?*
Pourquoi as-tu utilisé internet la semaine dernière?	*What did you use internet for last week?*
Qu'est-ce que tu as fait pour te divertir sur ton téléphone portable hier?	*What did you do on your mobile phone to entertain yourself yesterday?*
Quand est-ce que tu as eu un téléphone portable?	*When did you get a mobile phone?*
Combien de temps as-tu passé sur internet hier soir?	*How much time did you spend on the internet yesterday evening?*
Est-ce que tu as fait tes devoirs avec ou sans internet la semaine dernière? Pourquoi?	*Have you done your homework with or without internet last week? Why?*

Unit 2. Social media (present tense)

À l'heure de midi, *At lunchtime,* Dès que j'ai le temps, *Whenever I have the time,* Pendant mon temps libre, *During my free time,* Quand je peux, *When I can,* Quelquefois, *Sometimes,* Tous les deux jours, *Every other day,* Tous les soirs, *Every evening,* Une fois par jour, *Once a day,*	j'adore *I love* j'aime *I like* j'aime assez *I quite like* j'aime beaucoup *I like a lot*	commenter sur les forums *to comment on forums* consulter les réseaux sociaux *to look at social media* me connecter sur Twitter *to connect (myself) to Twitter* partager des vidéos marrantes *to share funny videos* passer du temps sur Facebook *to spend time on Facebook* poster des photos sur Instagram *to post photos on Instagram*

Grâce aux réseaux sociaux, *Thanks to social media,* (Positive)	j'arrive à *I manage to* je peux *I can*	faire des découvertes *make discoveries* me faire de nouveaux amis *make new friends* me distraire de la vie réelle *distract myself from real life* m'informer sur ce qu'il se passe dans le monde *inform myself on what is happening in the world* rester en contact avec mes proches qui vivent loin *stay in touch with my relatives who live far away*

À cause des réseaux sociaux, *Because of social media,* (Negative)	beaucoup de gens *a lot of people* certains individus *some individuals* de nombreux jeunes *numerous youngsters*	peuvent *can*	développer des troubles du sommeil *develop sleep disorders* développer un sentiment de solitude *develop a feeling of loneliness* devenir accros *become addicted* manquer de relations directes *lack direct relations* perdre l'estime de soi *lose their self-esteem* se sentir déprimés et anxieux *feel depressed and anxious*

Sur les réseaux sociaux, *On social media,*	j'ai des abonnés *I have followers* je fais des retweets *I retweet* je like *I give a like* je reçois des notifications *I receive notifications* je suis des influenceurs/euses *I follow influencers*	chaque jour *each day* constamment *constantly* rarement *rarely* régulièrement *regularly* tout le temps *all the time*

1. Match up

À l'heure de midi	When I can
Dès que j'ai le temps	In the evening
Pendant mon temps libre	Sometimes
Quand je peux	Every other day
Quelquefois	Once a day
Tous les deux jours	Whenever I have the time
Tous les soirs	During my free time
Une fois par jour	At lunchtime
Le soir	Every evening

2. Gapped translation

a._____ sur les forums:
To comment on forums

b._____ les réseaux sociaux:
To look at social media

c. Me _____ sur Twitter:
To connect (myself) to Twitter

d. _____ du temps sur Facebook:
To spend time on Facebook

e. _____ des photos sur Instagram:
To post photos on Instagram

f. _____ des vidéos marrantes:
To share funny videos

3. Positive or Negative?

Grâce à internet je peux…

a. …me sentir déprimé

b. …me faire de nouveaux amis

c. …perdre l'estime de soi

d. …devenir accro

e. …faire des découvertes

f. …m'amuser

g. …m'informer sur ce qui se passe dans le monde

h. …me distraire de la vie réelle

i. …manquer de relations directes

4. Faulty translation

a. Devenir accro: *To become depressed*

b. Se distraire: *To get tired*

c. Se faire des amis: *To lose friends*

d. Perdre l'estime de soi:
To gain self-esteem

e. Passer du temps: *To waste time*

f. Développer des troubles du sommeil:
To develop eating disorders

g. Rester en contact avec ses proches:
To lose touch with one's relatives

h. Faire des découvertes: *To make friends*

5. Sentence puzzle

a. sur commenter forums J'adore les	*I love to comment on forums*
b. reçois Je notifications des jour chaque	*I receive notifications each day*
c. Beaucoup gens devenir peuvent accros de	*A lot of people can become addicted*
d. influenceurs suis Je des	*I follow influencers*
e. nombreux sentir De jeunes déprimés peuvent se	*Numerous youngsters can feel depressed*
f. proches rester Je peux en avec mes contact	*I can stay in touch with my relatives*
g. connecter J'aime me Twitter sur	*I like to connect to Twitter*
h. vidéos Je des sur Tik Tok poste	*I post some videos on Tik Tok*

6. Translate into English

a. Je poste des vidéos

b. Je peux rester en contact

c. J'adore commenter

d. Je reçois des notifications

e. Je fais des découvertes

f. Je peux me faire de nouveaux amis

g. J'arrive à me distraire de la vie réelle

h. Je suis des influenceurs

i. Ils peuvent se sentir déprimés

7. Broken sentences

Beaucoup de gens	sur Instagram
Je peux rester en	des vidéos sur Tik Tok
J'arrive à me faire	peuvent devenir accros
J'aime me connecter	l'estime de soi
On peut développer un	contact avec mes proches
Je poste	de la vie réelle
Des jeunes peuvent perdre	sentiment de solitude
Je peux me distraire	de nouveaux amis

8. Gapped translation

a. *Every two days*: _ _ _ _ les deux jours

b. *I post some videos*: Je _ _ _ _ _ _ des vidéos

c. *A feeling of loneliness*: Un sentiment de _ _ _ _ _ _ _ _

d. *They can become addicted*: Ils peuvent devenir _ _ _ _ _ _

e. *Their self-esteem*: Leur estime de _ _ _

f. *I love to comment*: J'adore _ _ _ _ _ _ _ _ _

g. *Many people*: Beaucoup de _ _ _ _

9. Anagrams

a. *People*: eGns

b. *To post*: oPsetr

c. *Addicted*: ccAro

d. *Relatives*: rPoechs

e. *New (masc plural)*: vueNouax

f. *Depressed (masc plural)*: éprimDés

g. *To become*: evDeinr

h. *Numerous*: xbmoNrue

10. Complete with the correct verb

a. J'arrive à _____ des découvertes

b. De nombreux jeunes peuvent _____ leur estime de soi

c. Je peux me _____ de nombreux amis

d. J'arrive à me _____ de la vie réelle

e. Des gens peuvent _____ un sentiment de solitude

f. Ils peuvent _____ accros

g. Je _____ des notifications chaque jour

h. Des jeunes peuvent se _____ déprimés

i. J'adore _____ sur les forums

distraire	sentir	développer
faire	faire	devenir
perdre	commenter	reçois

11. Translate into French

a. *To comment*: C_ _ _ _ _ _ _ _

b. *To lose*: P_ _ _ _ _

c. *To develop*: D_ _ _ _ _ _ _ _ _

d. *To become*: D_ _ _ _ _ _

e. *To stay*: R_ _ _ _ _

f. *To feel*: S_ s_ _ _ _ _

g. *To post*: P_ _ _ _ _

h. *To share*: P_ _ _ _ _ _

i. *To spend*: P_ _ _ _ _

j. *To lack*: M_ _ _ _ _ _

k. *To inform oneself*: S'i_ _ _ _ _ _ _

l. *To connect*: S_ c_ _ _ _ _ _ _

12. Guided translation

a. *Thanks to social media*: G_____ a____ r_____ s_____

b. *When I can*: Q_____ j__ p_____

c. *During my free time*: P_____ m____ t_____ l_____

d. *Every other day*: T_____ l_____ d____ j_____

e. *I can stay in touch with*: J__ p____ r_____ e__ c_____ a_____

f. *I like to spend time on*: J'a_____ p_____ d__ t_____ s____

g. *A feeling of loneliness*: U__ s_____ d__ s_____

h. *New friends*: N_____ a_____

i. *Real life*: L__ v____ r_____

j. *Once a day*: U___ f_____ p___ j_____

13. Complete with an appropriate word/phrase

a. Grâce aux réseaux sociaux je peux rester en contact avec _____

b. À cause des réseaux sociaux, beaucoup de jeunes peuvent _____

c. Tous les jours, je passe beaucoup de temps sur _____

d. Pendant _____, je passe des heures sur Tik Tok

e. J'aime partager des _____ sur Facebook et Instagram

f. Grâce aux réseaux sociaux j'arrive à me distraire de _____

g. Grâce à Facebook, j'arrive à me faire _____

h. Grâce à internet, je peux m'informer sur ce qui se passe _____

14. Translate into French

a. Thanks to Facebook, I can make new friends

b. Thanks to social media, I can make new discoveries

c. I can stay in touch with my relatives who live far away

d. A lot of youngsters can lose their self-esteem

e. I like to share photos and videos on Facebook

f. In my free time, I quite like to share funny videos

g. I love to comment on Facebook

h. I manage to distract myself

i. I can inform myself on what is happening in the world

TEXT 1 - Tristan

(1) En général, à l'heure de midi, j'aime assez consulter les réseaux sociaux quand j'ai le temps. J'adore commenter sur les forums ou autrement *[otherwise]* j'aime aussi passer du temps sur Facebook ou Instagram pour voir ce que mes amis font. Grâce aux réseaux sociaux, j'arrive à me faire de nouveaux amis et à me distraire de la vie réelle. Je peux aussi m'informer sur ce qu'il se passe dans le monde, ce qui est important pour moi. Je me connecte en moyenne *[on average]* une demie heure par jour sur les réseaux sociaux.

(2) Malheureusement, *[unfortunately]* à cause des réseaux sociaux, de nombreux jeunes peuvent développer un comportement obsessif de nos jours. Parfois, certains d'entre eux *[some of them]* peuvent devenir complètement accros à leur téléphone portable. Certaines personnes passent la majeure partie de leur journée en ligne. Par conséquent, *[as a result]* ils peuvent manquer de relations directes car ils sont constamment derrière un écran et peuvent ainsi *[thus]* développer un sentiment de solitude.

(3) Du fait de la pandémie du coronavirus, en ce moment les étudiants sont souvent livrés à eux-mêmes *[left to their own devices]* et passent plus de temps que d'habitude en ligne. Cette période historique montre l'importance primordiale des cours en présentiel qui sont plus efficaces que les cours de l'enseignement à distance *[online learning]*.

(4) Pour conclure, il y a du bon et du mauvais avec les réseaux sociaux. Tout dépend de l'utilisation que l'on en fait et personnellement je trouve qu'ils offrent des solutions de communication et de partage *[sharing]* gratuites *[free of charge]* et rapides. Donc, je les aime beaucoup et je ne pourrais pas imaginer un monde sans réseaux sociaux. Chaque jour, je reçois des notifications pour les personnes que je suis *[the people I follow]*, j'ai de nouveaux abonnés, je fais des retweets et je like tout ce que j'aime en ligne et cela fait dorénavant partie de ma routine journalière *[daily routine]*.

---

15. Find the French equivalent in paragraph (1)

a. Social media:

b. When I have the time:

c. Spend some time:

d. What my friends do:

e. To make new friends:

f. Distract myself from:

g. What is happening in the world:

h. I connect to:

---

16. List the four negative consequences of the use of social networks mentioned in paragraph 2

1.

2.

3.

4.

---

17. Complete the translation of paragraph 3

_____ the coronavirus pandemic,

_____, students are

_____ and spend more time

than usual _____ . This historical period

_____ the great importance of

_____ which are more

_____ than online learning.

---

18. Find in paragraph (4) the following words and translate them into English

a. An adjective beginning with 'b'

b. A verb beginning with 'c'

c. A noun beginning with 'r'

d. An adjective beginning with 'n'

e. A pronoun beginning with 'c'

f. A verb beginning with 's'

THE LANGUAGE GYM

TEXT 2 - Audrey

(1) Dès que j'ai le temps, j'adore aller sur Facebook et j'aime aussi poster des photos sur Instagram chaque jour. Les réseaux sociaux sont très importants pour moi, car ils me permettent de rester en contact *[to stay in touch]* en permanence avec mes amis. Je reçois des notifications à longueur de journée *[all day long]*, ce qui je dois avouer est une grande distraction. Quelquefois je me connecte aussi sur Twitter, mais j'aime moins ce réseau social, car c'est un peu ennuyeux à mon avis.

(2) Grâce aux réseaux sociaux, je peux communiquer facilement et c'est d'ailleurs comme cela que je tchatte tout le temps avec ma meilleure amie Julie. Elle a les mêmes goûts que moi et suit les mêmes influenceurs sur Instagram alors nous nous entendons très bien ensemble. Les réseaux sociaux sont aussi pour moi une bonne façon de m'échapper de la réalité et de me distraire de la vie quotidienne. Je les adore aussi pour faire des achats en ligne et grâce à l'intelligence artificielle, je reçois des publicités pour les marques et les produits que j'aime.

(3) Malheureusement, certaines de mes copines deviennent complètement accros aux réseaux sociaux. Ma copine Delphine, par exemple, passe la plupart de son temps sur Facebook et elle ne veut plus sortir avec moi car elle préfère rester chez elle et passer du temps sur son téléphone au lieu de s'amuser en ville avec moi. Mathieu, un garçon de ma classe a lui aussi un comportement obsessif depuis la pandémie du coronavirus. Il passe tellement de temps en ligne depuis deux ans qu'il a maintenant du mal *[he finds it difficult]* à fréquenter d'autres personnes.

(4) En conclusion, les réseaux sociaux ont des aspects positifs, tout comme des aspects négatifs. Tout dépend de l'utilisation que l'on en fait et personnellement, je trouve qu'ils sont une source de divertissement et qu'ils nous aident à communiquer gratuitement et rapidement avec nos proches. Je ne peux pas imaginer un monde sans réseaux sociaux, cela serait vraiment triste selon moi.

19. Complete based on paragraph (1) & (2)

a. Whenever I have _____ I love going on Facebook.

b. _____ are very important for me.

c. I receive _____ all day long, which, I must _____ is a big distraction.

d. Sometimes I also connect to Twitter, _____ I like this social media _____, because it is a bit _____ in my _____.

e. Thanks to _____ I can communicate easily.

f. I chat all the time with my _____ Julie

g. She has the same _____ as me and _____ the same influencers.

h. Social media is also _____ to escape from reality.

i. I also love social media because I can _____ _____.

j. _____ to artificial intelligence, I receive the adverts of the _____ and products I _____.

20. Find the French equivalent for the following English words/phrases in paragraph (3)

a. Unfortunately:

b. Addicted:

c. Most of her time:

d. Go out with me:

e. To stay at home:

f. To spend time:

g. Instead of having fun:

h. He spends:

i. So much time:

j. He finds it difficult:

k. Other people:

21. Complete choosing the correct option amongst the three ones provided in bold

Malheureusement, **à cause des/grâce aux/parce que** réseaux sociaux, de nombreux jeunes peuvent développer un comportement **obsessive/obsessif/obsédée** de nos jours. **Toujours/Parfois/Cependant**, certains d'entre eux peuvent devenir complètement **accrus/accros/accrocs** à leur téléphone portable. Certaines personnes **passent/passe/passons** la majeure partie de leur journée **en/au/on** ligne. Par conséquent, ils **doivent/peuvent/veulent** manquer de relations directes car ils sont constamment **dans/derrière/à côté d'** un écran et peuvent ainsi développer un sentiment de **soif/solitude/faim**.

22. Translate into English

a. En général, à l'heure de midi, j'aime consulter les réseaux sociaux

b. Ma copine Delphine, par exemple, passe la plupart de son temps sur Facebook

c. Elle a les mêmes goûts que moi et suit les mêmes influenceurs

d. Les réseaux sociaux sont très importants pour moi

e. Pour conclure, il y a du bon et du mauvais avec les réseaux sociaux

f. J'ai de nouveaux abonnés, je fais des retweets et je like tout ce que j'aime en ligne

g. De nombreux jeunes peuvent développer un comportement obsessif de nos jours

h. Tout dépend de l'utilisation que l'on en fait

23. Complete with the missing words choosing from the options provided below

En conclusion, les _____ sociaux ont des aspects positifs, tout comme des aspects _____.
Tout dépend de l'_____ que l'on en fait et personnellement, je _____ qu'ils sont une
source de _____ et qu'ils nous aident à communiquer _____ et rapidement avec nos
proches. Je ne peux pas _____ un monde sans réseaux _____, cela serait vraiment triste selon
moi.

imaginer	réseaux	divertissement	trouve	négatifs	sociaux	utilisation	gratuitement

24. Gapped translation: complete the translation of the French text

Pour conclure, il y a du bon et du mauvais avec les réseaux sociaux. Tout dépend de l'utilisation que l'on en fait et personnellement je trouve qu'ils offrent des solutions de communication et de partage gratuites et rapides. Donc je les aime beaucoup et je ne pourrais pas imaginer un monde sans réseaux sociaux. Chaque jour, je reçois des notifications pour les personnes que je suis, j'ai de nouveaux abonnés, je fais des retweets et je like tout ce que j'aime en ligne. Cela fait dorénavant partie de ma routine journalière.	To conclude, there is some _____ and some _____ to social media. It all depends on the _____ that we make out of them and personally, I _____ that they offer solutions in terms of communication and _____ which are _____ and fast. Therefore, I like them _____ and couldn't imagine a _____ without social media. Each day, I _____ notifications for the people I _____, I have new followers, I retweet and I give a like to _____ that I like online. This is _____ part of my _____ _____.

25. Choose the correct translation

a. *Addicted*: jeunes/accros/goûts

b. *Media*: réseaux/goûts/nouveaux

c. *Sharing*: partage/poste/monde

d. *Encounters*: découvertes/rencontres/réseaux

e. *To become*: devenir/passer/trouver

f. *I receive*: je reçois/passe/trouve

g. *I find*: je trouve/je reçois/je passe

h. *Good*: bon/mauvais/accro

i. *Online*: en fait/en ligne/en tout

j. *World*: mauvais/monde/avis

k. *Loneliness*: tristesse/avis/solitude

l. *I spend*: je trouve/je passe/je suis

m. *Relatives*: accros/proches/goûts

n. *Tastes*: goûts/rencontres/jeux

---

26. Guided translation

a. *Numerous youngsters can become addicted*: D_ n_____ j_____ p_____ d_____ a_____

b. *I have new followers each day*: J'_____ d__ n_____ a_____ c_____ j_____

c. *I spend a lot of time on social media*: J_ p_____ b_____ d_ t_____ s__ l___ r_____ s_____

d. *There is some good and some bad*: I__ y a d__ b___ e_ d_ m_____

e. *He has an obsessive behaviour*: I_ a u_ c_____ o_____

f. *I like to comment on forums*: J'a_____ c_____ s__ l__ f_____

g. *Youngsters can lose their self-esteem*: L__ j_____ p_____ p_____ l___ e_____ d___ s_____

h. *Some individuals can become depressed*: C_____ i_____ p_____ d_____ d_____

---

27. Translate into English

a. Good

b. Bad

c. In conclusion

d. I can make new friends

e. I can make new discoveries

f. I use social media a lot

g. Numerous youngsters can become addicted

h. I post videos on Instagram

i. Marc spends too much time on social media

j. Youngsters can feel depressed and anxious:

k. I can stay in touch with my relatives:

l. Because of social media some individuals can develop a feeling of loneliness

28. Write a short text about the effects of social media. Say the following things:

- There are good and bad things about social media
- Thanks to social media I can keep in touch with my relatives from Australia; I can make new friends; I can keep informed on what happens around the world and I also make new discoveries
- Unfortunately, though, because of social media, some youngsters can develop obsessive behaviours, can become addicted; can feel depressed and lonely and can lack direct relationships because they spend too much time in front of a screen
- I use social media a lot: I follow some influencers; I post videos on Instagram; I comment on forums and make new friends
- Unfortunately, my best friend Marc spends too much time on it and has become addicted. So he never goes out with his friends any longer

Key questions

Comment utilises-tu les réseaux sociaux d'habitude?	*How do you usually use social media?*
Selon toi, quels sont les avantages des réseaux sociaux?	*According to you, what are the advantages of social media?*
À ton avis, quels sont les inconvénients des réseaux sociaux?	*In your opinion, what are the disadvantages of social media?*
Quels réseaux sociaux aimes-tu? Pourquoi?	*Which social media do you like? Why?*
Quels sont les réseaux sociaux que tu n'aimes pas et pour quelles raisons?	*Which social media don't you like and for what reasons?*
Quand vas-tu généralement sur les réseaux sociaux?	*When do you generally go on social?*
Combien de temps passes-tu en moyenne sur les réseaux sociaux par semaine?	*How much time do you spend on average on social media per week?*
Es-tu influencé(e) par les réseaux sociaux? Comment?	*Are you influenced by social media? How?*
Qui sont tes influenceurs? Pourquoi tu les suis?	*Who are your influencers? Why do you follow them?*
Tu connais des gens qui sont devenus accros aux réseaux sociaux? Si oui, quels comportements obsessifs ont-ils developpé?	*Do you know any people who have become addicted to social media? If yes, what obsessive behaviours have they developed?*

Unit 2. Social media (past tense)

Avant-hier *The day before yesterday*	**j'ai commenté sur les forums** *I commented on forums*	**sur Facebook** *on Facebook*
Hier après-midi *Yesterday afternoon*	**j'ai passé du temps** *I spent time*	
Hier matin *Yesterday morning*	**j'ai partagé des photos** *I shared some photos*	**sur Instagram** *on Instagram*
Hier soir *Yesterday evening*	**j'ai posté des vidéos** *I posted videos*	**sur les réseaux sociaux** *on social media*
Il y a quelques jours *A few days ago*		
Il y a une semaine *A week ago*	**je suis allé(e)** *I went*	**sur Twitter** *on Twitter*
La semaine dernière *Last week*	**je me suis connecté(e)** *I connected (myself) to*	

Le week-end dernier, grâce aux réseaux sociaux, *Last weekend, thanks to social media,* (Positive)	**j'ai réussi à** *I managed to* **j'ai pu** *I was able to*	**découvrir de nouvelles choses** *discover new things* **me faire de nouveaux amis** *make new friends* **me distraire de la vie réelle** *distract myself from real life* **m'informer sur ce qu'il se passe dans le monde** *inform myself on what is happening in the world*

Depuis la naissance des réseaux sociaux *Since the birth of social media* **Ces dernières années, à cause des réseaux sociaux** *In recent years, because of social media* (Negative)	**certains adolescents** *some teenagers* **beaucoup de gens** *a lot of people* **de nombreux jeunes** *numerous youngsters*	**ont** *have* **développé un comportement obsessif** *developed an obsessive behaviour* **développé un sentiment de solitude** *developed a feeling of loneliness* **manqué de relations directes** *lacked direct relations*
		sont devenus accros *have become addicted*

Hier, pendant la soirée, *Yesterday, during the evening,*	**j'ai reçu des notifications** *I received notifications* **j'ai eu de nouveaux abonnés** *I had new followers* **j'ai fait des retweets** *I retweeted* **j'ai liké** *I gave a like*	**sans arrêt** *nonstop* **toutes les cinq minutes** *every five minutes*
	j'ai suivi *I followed* / **de nouveaux influenceurs (m)** **de nouvelles influenceuses (f)** *new influencers*	

1. Match up

Hier matin	I had
J'ai commenté	In recent years
Il y a quelques jours	I managed to
J'ai reçu	Numerous youngsters
Sans arrêt	I followed
J'ai eu	Some people
Ces dernières années	A few days ago
De nombreux jeunes	Nonstop
J'ai suivi	I received
La vie réelle	In the world
Certaines personnes	I was able to
J'ai pu	Yesterday morning
Dans le monde	Real life
J'ai réussi à	I commented

2. Complete the words then translate them into English

a. Un sent_ _ _ _ _ :

b. La naiss_ _ _ _ :

c. Pend_ _ _ :

d. Sa_ _ ar_ _ _ :

e. La soi_ _ _ :

f. Beau_ _ _ _ de ge_ _ :

g. J'ai pas_ _ :

h. Un compor_ _ _ _ _ _ :

i. J'ai re _ _ :

j. Les rés _ _ _ _ soci_ _ _ :

k. Me dist_ _ _ _ _ de:

3. Phrase puzzle

a. semaine y Il a une: *A week ago*

b. fait J'ai retweets des: *I retweeted*

c. distraire J'ai me pu: *I was able to distract myself*

d. gens de Beaucoup: *A lot of people*

e. devenus sont accros Ils: They *have become addicted*

f. suivi J'ai influenceuses des: *I followed influencers*

g. réussi m'informer J'ai à: *I managed to inform myself*

h. réseaux Grâce sociaux aux: *Thanks to social media*

i. partagé photos des J'ai: *I shared some photos*

j. sentiment de Un solitude: *A feeling of loneliness*

k. notifications reçu J'ai des: *I received notifications*

4. Translanagrams: unjumble and translate the following words or phrases

a. Nauxouve:

b. ouvrirDéc ed vellesoun sescho:

c. tesTou sel qinc nutesmi:

d. eJ issu élla:

e. aiJ' visui:

f. Ctainesr lescentados:

g. nU mentportecom ssifobse:

h. eJ em sius nectécon:

i. J'ia sépas ud stemp:

5. Translate into English

a. Hier soir, j'ai reçu des notifications sans arrêt

b. Beaucoup de jeunes ont manqué de relations directes

c. Avant-hier, j'ai pu me faire de nouveaux amis

d. Hier après-midi, j'ai passé du temps sur Facebook, c'était divertissant

e. Le week-end dernier, je suis allé sur Facebook et j'ai posté des vidéos

f. La semaine dernière, grâce aux réseaux sociaux, j'ai pu me distraire

g. Il y a quelques jours, j'ai eu de nouveaux abonnés sur Instagram

h. Hier, pendant la soirée, j'ai fait des retweets toutes les cinq minutes

i. À cause des réseaux sociaux, certains adolescents sont devenus accros

6. Complete

a. Dans ___ monde

b. J'ai _____ des retweets

c. Je me _____ connecté

d. J'ai _____ du temps

e. J'ai réussi __

f. J'ai posté ___ vidéos

g. J'ai _____ des notifications

h. Pendant __ soirée

i. __ sentiment __ solitude

j. Beaucoup __ gens

k. De __ vie réelle

THE LANGUAGE GYM

7. Gapped translation

a. Hier _____ , je suis _____ sur Instagram: *Yesterday evening, I went on Instagram*

b. Le week-end dernier, j'ai _____ à me _____ des amis: *Last weekend I managed to make friends*

c. J'ai _____ des notifications _____ arrêt: *I received notifications nonstop*

d. J'ai ____ de _____ abonnés: *I had new followers*

e. J'ai liké _____ les _____ minutes: *I gave a like every five minutes*

f. J'ai ____ m'_____ : *I was able to inform myself*

g. J'ai _____ du temps sur les _____ sociaux: *I spent time on social media*

8. Sentence puzzle

a. après-midi, Hier suis sur génial je me pendant une heure, c'était connecté Facebook !

Yesterday afternoon, I connected myself to Facebook for one hour, it was great!

b. grâce Le réussi dernier, aux week-end sociaux, j'ai à découvrir de choses réseaux nouvelles

Last weekend, thanks to social media, I managed to discover new things

c. la Depuis comportement des réseaux sociaux, certains naissance ont un développé adolescents obsessif

Since the birth of social media, some teenagers have developed an obsessive behaviour

d. dernières Ces années, à des réseaux sociaux, de cause nombreux relations manqué ont de directes jeunes

In recent years, because of social media, numerous youngsters have lacked direct relations

e. pendant, j'ai reçu la soirée des toutes les cinq notifications Hier, minutes

Yesterday, during the evening, I received notifications every five minutes

f. dernière, des vidéos La semaine sur et j'ai eu j'ai posté de abonnés Instagram nouveaux

Last week, I posted some videos on Instagram and I had new followers

9. Tangled translation

a. Hier **morning**, j'ai **spent** du **time** sur les **media** sociaux

b. J'ai **managed** à me **make** de nouveaux **friends**

c. **I was able to** me distraire de la **life** réelle

d. **During** la soirée, j'ai **followed** de **new** influenceuses

e. J'ai **received** des notifications **every** les **five** minutes

f. **Numerous** jeunes sont devenus **addicted**

g. **I have** des amis **who** ont développé un **behaviour** obsessif

h. Il y a **few days**, j'ai **commented** sur les forums

i. J'ai pu m'informer on **what's happening** dans le **world**

10. Translate into French

a. Behaviour

b. Numerous

c. During

d. Nonstop

e. Loneliness

f. New things

g. New friends

h. A feeling

i. I went

j. I had

k. To discover

l. Real life

m. Teenagers

n. A lot of people

o. Addicted

p. I managed to

q. I was able to

r. I received

THE LANGUAGE GYM

28

Conversation entre amis (1) (Première partie)

Amandine: Parle-moi de ce que tu as fait sur les réseaux sociaux la semaine dernière?
Tell me what you did on social media last week?

Tristan: La semaine dernière, je suis allé sur les réseaux sociaux, car j'étais en vacances, et donc j'avais le temps. J'ai commenté sur les forums sur Facebook et j'ai aussi passé du temps sur Instagram pour voir ce que mes amis faisaient.

Amandine: Selon toi, quels sont les points forts des réseaux sociaux?
According to you, what are the strong points of social media?

Tristan: Tout d'abord *[first of all]*, la communication. Récemment, grâce aux réseaux sociaux, j'ai réussi à me faire de nouveaux amis et c'est comme ça que j'ai rencontré ma nouvelle petite amie. Deuxièmement: les divertissements. Je crois que les réseaux sociaux sont un bon moyen *[a good way]* pour se distraire de la vie réelle et pour s'informer en temps réel sur ce qu'il se passe dans le monde.

Amandine: Combien de temps as-tu passé sur les réseaux sociaux hier par exemple?
How much time did you spend on social media yesterday for example?

Tristan: Hier, j'ai passé une heure en tout *[in total]* sur les réseaux sociaux, ce qui est assez raisonnable à mon avis. Je suis allé sur Facebook et j'ai commenté sur quelques forums et puis j'ai partagé des photos de mes vacances en Provence sur Instagram. J'ai aussi posté trois vidéos marrantes, c'était relaxant et divertissant.

11. Find the French for the following:

a. *Last week*: L_ s_____ d_____

b. *I was on holidays*: J'____ en v_____

c. *I had the time*: J'_____ le t_____

d. *What my friends were doing*:
Ce q__ m__ a____ f_____

e. *Tell me about*: P_____-____ de

f. *According to you*: S_____ t__

g. *The strong points*: L__ p_____ f___

h. *Recently*: R_____

i. *I met*: J'___ r_____

j. *My girlfriend*: M_ p_____ a_____

k. *I believe that*: J_ c_____ q__

l. *A good way*: U_ b___ m_____

m. *Real life*: L_ v___ r_____

n. *In the world*: D_____ l_ m_____

o: *You did*: T_ a_ f____

p. *Yesterday for example*: H__ p__ e_____

q. *On a few forums*: S__ q_____ f_____

r. *In real time*: E__ t_____ r___

s. *Entertaining*: D_____

12. Complete the translation of Tristan's last answer

Yesterday, I _____ one hour in _____ on social media, which is _____ reasonable in my _____ .
I went on Facebook _____ I commented on ___ _____ forums and _____ I shared some _____ from my _____ in Provence on Instagram. I _____ posted three _____ videos, it _____ relaxing and _____ .

13. Complete the text below with the options provided in the table

_____, *[unfortunately]* à cause des réseaux_____, beaucoup ___ mes _____ sont _____ complètement accros à leur _____ portable. Mon _____ Christophe _____ tout son _____ sur _____, c'est un problème. Il ne _____ même _____ au foot !

malheureusement	copain	passe	devenus
internet	amis	de	temps
téléphone	plus	joue	sociaux

 THE LANGUAGE GYM

Conversation entre amis (1) (Deuxième partie)

Amandine: D'après ton expérience, quels ont été les points négatifs associés aux réseaux sociaux?
In your experience, what have been the negative points associated to social media?

Tristan: Malheureusement, *[unfortunately]* à cause des réseaux sociaux, beaucoup de mes amis sont devenus complètement accros à leur téléphone portable. Mon copain Christophe passe tout son temps sur internet, c'est un problème. Il ne joue même plus au foot!

Amandine: À ton avis, qu'est-ce qui a changé depuis la naissance des réseaux sociaux?
In your opinion, what has changed since the birth of social media?

Tristan: À mon avis, ils ont transformé la façon dont nous vivons. Ils ont facilité la communication et c'est maintenant gratuit et instantané. De nos jours, il est si facile de rester en contact avec ses amis, même s'ils sont dans un autre pays.

14. True, False or Not mentioned?

a. Because of social media, a lot of Tristan's friends are addicted to their phone

b. His friend Christophe spends all his time playing football

c. Social media are expensive for users

d. They've slowed down communication

e. Social media are designed to make people dependant on them

f. Tristan thinks social media have transformed the way we work

g. Nowadays it's complicated to stay in touch with your friends

h. You can't use social media from one country to another

15. Answer the following questions about the two parts of the conversation above

a. Where was Tristan last week?

b. Why did he go on Facebook and Instagram last week? (2 details)

c. Recently, what has he been able to do thanks to social media? (2 details)

d. What are the two strong points he mentions in favour of social media?

e. What did he do on Instagram yesterday? (2 details)

f. How was it? (2 adjectives)

g. What has happened to a lot of his friends?

h. What does he say about his friend Christophe? (2 details)

i. In his opinion, what has changed with social media? (2 details)

16. Split sentences: join the two chunks in each column to make logical sentences then translate them

1	2	English translation
Mes amis sont devenus	donc j'avais le temps	
J'ai partagé des	nouvelle petite amie	
Ils ont facilité	sur les réseaux sociaux	
J'étais en vacances	complètement accros	
Je suis allé	en contact avec ses amis	
Il est facile de rester	la communication	
J'ai rencontré ma	photos et des vidéos	

Conversation entre amis (2) (Première partie)

Renaud: Parle-moi de ce que tu as fait sur les réseaux sociaux le week-end dernier?
Tell me what you did on social media last weekend?

Audrey: Le week-end dernier, je suis allée sur Facebook et j'ai posté des photos sur Instagram. Les réseaux sociaux sont très importants pour moi, car ils me permettent de rester en contact *[to stay in touch]* avec mes amis. Samedi, j'ai reçu des notifications à longueur de journée *[all day long]*, ce qui je dois avouer *[I must admit]* était une grande distraction. Dimanche, je me suis connectée à Twitter, mais je dois dire *[I must say]* que j'aime moins ce réseau social, car c'est un peu ennuyeux à mon avis.

Renaud: Selon toi, quelle est la force des réseaux sociaux?
According to you, what is the strength of social media?

Audrey: Grâce aux réseaux sociaux, j'ai pu faire de nouvelles rencontres et c'est d'ailleurs comme cela que j'ai rencontré ma meilleure amie Julie. Nous nous sommes tout de suite bien entendues ensemble car nous partageons les mêmes passions. De la même façon, j'ai réussi à faire la connaissance *[to get to know]* de mon petit ami sur Instagram en regardant les profils des garçons de mon collège. Donc, pour moi la force des réseaux sociaux, c'est qu'il est maintenant très facile de se faire de nouveaux amis.

17. Find the French for the following:

a. For me:

b. To stay in touch:

c. They allow me:

d. Sunday:

e. I connected to

f. I must say:

g: Less:

h. A bit:

i. In my opinion:

j. The strength:

k. Boring:

l. I went:

m. I was able to do:

n. By the way:

o. Together:

p. In the same way:

q. While watching:

18. Complete the translation from the first question and answer

Renaud: _____ me what you _____ on social media _____ weekend?

Audrey: Last weekend, _____ on Facebook and I _____ some photos on Instagram. Social media are _____ important ____ _____ , because they allow me to _____ in touch _____ my friends. On _____ , I _____ notifications all _____ long, which I must _____ was a _____ distraction. On _____ , I connected to Twitter, _____ I _____ say that I like this social media _____ , because it is ___ _____ boring ___ ___ _____ .

19. Correct the spelling errors

a. De la mame facon

b. A longue de journey

c. Rest on countach

d. Jay reusee

e. Des nuvos ames

f. Feire le conaysense

20. Anagrams

a. *Encounters:* tresRencon

b. *Boys:* onsrçGa

c. *Like this:* meCom lace

d. *I was able to do:* ai'J up refai

e. *My boyfriend:* noM tetpi mia

THE LANGUAGE GYM

Conversation entre amis (2) (Deuxième partie)

Renaud: Comment as-tu utilisé les réseaux sociaux hier par exemple?

Audrey: Hier soir, j'ai pu faire des achats en ligne avec l'argent que j'ai eu pour mon anniversaire il y a deux semaines. Grâce à l'intelligence artificielle, j'ai reçu des publicités avec des offres de produits en solde *[on sale]* pour les marques que je suis *[I follow]* sur Instagram. C'était donc très pratique pour faire mes courses. J'ai acheté de jolis vêtements à un bon rapport qualité-prix *[good value for money]*.

Renaud: Quand es-tu allé(e) sur Instagram pour la dernière fois? C'était comment?
When did you go on Instagram for the last time? How was it?

Audrey: La dernière fois que je suis allée sur Instagram, c'était ce matin. J'ai posté deux photos et j'ai répondu à mes messages. Ensuite, j'ai liké les photos et les vidéos de mes influenceurs favoris et de mes amis bien sûr. C'était divertissant et j'ai aussi trouvé certaines vidéos courtes *[reels]* très marrantes.

21. True, False or Not mentioned?

a. According to Audrey, Artificial intelligence has made shopping easier

b. Her birthday was yesterday

c. All the clothes she liked were sold out

d. She follows clothes brands on Instagram

e. She bought expensive, but cheap quality clothes

f. The last time she went on Instagram was yesterday morning

g. She posted two videos and answered her messages

h. Then she liked the photos of her favourite influencers

i. She didn't like any of her friends' posts

j. She found the reels very boring and she doesn't like them

22. Translate the following paragraphs into French

Last weekend, on Saturday, I went on Instagram and I posted some photos and some videos of my holidays. It was relaxing and I only spent one hour in total on social media. Then, I answered my messages on WhatsApp and I commented on a few forums. On Sunday, I did some shopping online and I bought some new clothes. I love my new trousers!

Recently, thanks to social media, I managed to make new friends and I have also met my girlfriend like this. I believe it is a good way to stay in touch with people. For my birthday, I had a mobile phone, so lately *[dernièrement]* I was able to distract myself on Facebook. Yesterday evening, I also shared some photos on Instagram and I received notifications every five minutes. It was a big distraction!

23. Complete with an appropriate word

a. Mes amis sont devenus _____ à leur téléphone portable

b. Hier soir, j'ai trouvé certaines vidéos _____ très _____

c. Je dois _____ que c'_____ une grande distraction

d. J'ai _____ des photos et j'ai _____ à mes messages

e. J'ai _____ une heure en tout sur Facebook

24. Write a 120-word composition including the following points

- What you did on social media last weekend and how it was

- In your experience, what are the strengths of social media

- What are the negative points

- How you used new technologies yesterday

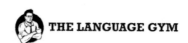

Key questions

Comment as-tu utilisé les réseaux sociaux hier après-midi par exemple?	*How did you use social media yesterday afternoon for example?*
Parle-moi de ce que tu as fait sur les réseaux sociaux le week-end dernier?	*Tell me about what you did on social media last weekend?*
Qu'est-ce que tu as aimé faire sur les réseaux sociaux hier soir?	*What did you enjoy doing on social media yesterday evening?*
Selon toi, qu'est-ce qui a changé depuis la naissance des réseaux sociaux?	*According to you, what has changed since the birth of social media?*
Quels ont été les points négatifs associés aux réseaux sociaux ces dernières années?	*What have been the negative points associated to social media in recent years?*
Quand es-tu allé(e) sur Instagram pour la dernière fois? C'était comment?	*When did you go on Instagram for the last time? How was it?*
Combien de temps as-tu passé sur les réseaux sociaux samedi dernier?	*How much time did you spend on social media last Saturday?*
As-tu récemment été influencé(e) par les réseaux sociaux? Comment?	*Have you recently been influenced by social media? How?*

Unit 3. Mobile technology (present tense)

À l'heure actuelle, *At this time,* **Dans notre société moderne,** *In our modern society,* **De nos jours,** *Nowadays,* **Dorénavant,** *From now on,*	**la technologie mobile** *mobile technology*	**est attrayante car elle est multifonctionnelle** *is attractive because (it is) multifunctional* **est indispensable dans le monde du travail** *is indispensable in the world of work* **est omniprésente dans nos vies** *is everywhere in our lives* **est vitale pour nos tâches quotidiennes** *is vital for our daily tasks*

J'aime utiliser *I like to use* **Je me sers toujours de** *I always use* **Je prends l'avion avec** *I take the plane with* **J'utilise souvent** *I often use* **Je vais en vacances avec** *I go on holidays with*	**mon enceinte portable** *my portable speaker* **mon ordinateur portable** *my laptop* **ma tablette** *my tablet* **mon téléphone portable** *my mobile phone* **ma montre connectée** *my smartwatch*	**car** *because*	**c'est efficace et compact** *it's efficient and compact* **c'est facile pour voyager** *it's easy to travel* **c'est léger à transporter** *it's light to transport* **c'est pratique** *it's practical* **c'est rapide et divertissant** *it's fast and entertaining*

Un des avantages de la technologie mobile c'est *One of the advantages of mobile technology is* **Un des points forts de la technologie mobile c'est** *One of the strong points of mobile technology is*	**l'accès aux applications modernes** *access to modern apps* **la capacité de communiquer en dehors du bureau** *the ability to communicate outside of the office* **la capacité de payer à distance** *the ability to pay remotely* **la flexibilité géographique** *geographical flexibility* **que c'est une source de divertissement** *that it is a source of entertainment*

Un des inconvénients de la technologie mobile c'est/ce sont *One of the disadvantages of mobile technology is* **Un des points faibles de la technologie mobile c'est/ce sont** *One of the weak points of mobile technology is*	**le coût élevé de ces produits** *the high cost of these products* **les distractions qu'elle génère** *the distractions it generates*

 **THE LANGUAGE GYM**

1. Match up

À l'heure actuelle	Tablet
De nos jours	At this time
Dorénavant	Light
Léger	Nowadays
Facile	A watch
Tablette	Attractive
Attrayant	Multifunctional
Une montre	The cost
En dehors de	From now on
Le coût	Easy
Enceinte portable	Outside of
Multifonctionnel	Portable speaker

2. Complete with the missing letters

a. *A tablet*: Une tablet_ _

b. *Multifunctional* (Fem): Multif_nction_ _ _ _ _

c. *Disadvantage*: Inconv_nient

d. *Technology*: Technolog_ _

e. *Capacity*: Capacit_

f. *Products*: Produ_ _ _

g. *To pay*: Pay_ _

h. *Everywhere*: Omnipr_sent

i. *Access*: Acc_ _

3. Sentence puzzle

a. multifonctionnelle mobile est attrayante car elle La est technologie

   Mobile technology is attractive because it is multifunctional

b. avantages Un des de que la divertissement mobile c'est c'est une source de technologie

   One of the advantages of mobile technology is that it is a source of entertainment

c. utiliser J'aime mon divertissant portable parce que c'est rapide téléphone et

   I like to use my mobile phone because it is fast and entertaining

d. des de la distractions technologie mobile ce sont inconvénients les qu'elle génère Un

   One of the disadvantages of mobile technology is the distractions it generates

e. Je sers toujours de ma facile tablette c'est pour voyager me car

   I always use my tablet because it is easy to travel

f. portable utiliser mon car c'est efficace et J'aime compact enceinte

   I like to use my portable speaker because it is effective and compact

4. Complete with the missing words choosing the correct options provided below

Les avantages de la technologie mobile

a. C'est une source de _____ : *It is a source of entertainment*

b. La capacité de communiquer en _____ du bureau: *The ability to communicate outside of the office*

c. C'est _____ : *It is multifunctional*

d. La _____ de payer à distance: *The ability to pay remotely*

e. La flexibilité _____ : *Geographical flexibility*

f. L'_____ aux applications modernes: *Access to modern apps*

capacité	géographique	dehors	divertissement	multifonctionnel	accès

THE LANGUAGE GYM

5. Look for the French translation in the wordsearch and add the accents when needed

d	o	m	n	i	p	r	e	s	e	n	t	b	d	r	o	u	p
o	h	m	u	l	t	i	f	o	n	c	t	i	o	n	n	e	l
r	b	g	h	k	n	o	a	r	w	t	u	a	e	t	b	o	e
e	c	b	x	p	l	t	c	q	s	r	k	p	n	i	e	t	g
n	h	a	v	e	f	c	i	r	o	n	m	a	s	c	v	a	e
a	k	c	p	t	k	q	l	d	z	p	y	c	a	b	n	c	r
v	j	d	i	a	c	c	e	s	x	a	e	c	r	t	m	h	m
a	s	t	r	g	c	w	b	h	r	x	i	a	o	a	j	e	s
n	a	f	q	h	m	i	d	t	m	f	b	g	j	s	g	s	a
t	w	r	a	j	z	u	t	w	f	l	e	n	l	q	r	k	r
d	q	t	f	m	a	a	j	e	m	e	s	e	r	s	e	l	b
b	l	d	i	v	e	r	t	i	s	s	a	n	t	d	o	y	t

a. Omnipresent:
b. I use:
c. Ability:
d. Multifunctional:
e. Attractive:
f. Easy:

g. Light:
h. Access:
i. Effective:
j. Tasks:
k. From now on:
l. Entertaining:

6. Gapped translation

a. Les tâches quotidiennes: *Daily* _____

b. C'est attrayant: *It is* _____

c. Mon enceinte portable: *My portable* _____

d. Léger à transporter: _____ *to transport*

e. En dehors du bureau: *Outside* _____

f. Une source de divertissement : *A source of* _____

g. Le cout élevé: *The high* _____

h. Je me sers de ma tablette: *I* _____ *my tablet*

i. La capacité de communiquer:
The _____ *to communicate*

j. Dans nos vies: *In our* _____

k. Mon téléphone portable: *My* _____ *phone*

l. Ma montre connectée: *My* _____

m. C'est efficace et compact: *It is* _____ *and compact*

7. Translate into English

a. La technologie mobile

b. C'est multifonctionnel

c. Les tâches quotidiennes

d. De nos jours

e. Dorénavant

f. C'est une source de divertissement

g. C'est léger à transporter

h. Payer à distance

i. Un des avantages

j. Dans le monde du travail

k. En dehors du bureau

l. Une enceinte portable

THE LANGUAGE GYM

8. Break the flow

a. Undesavantagesdelatechnologiemobilecestlaccèsauxapplicationsmodernes

b. Undesinconvénientsdelatechnologiemobilecestlecoûtélevédecesproduits

c. Jemeserstoujoursdemonordinateurportablecarcestlégeràtransporter

d. Unavantageimportantdelatechnologiemobilecestquecestunesourcededivertissement

e. Jutilisesouventmontéléphoneportablecarcestrapideetdivertissant

f. Àlheureactuellelatéléphoniemobileestattrayantecarelleestmultifonctionnelle

g. Latechnologiemobileestomniprésentedansnosviescarelleestefficaceutileetcompacte

h. Denosjourslatechnologiemobileestindispensabledanslemondedutravail

i. Unautreinconvénientcesontlesdistractionsquelatechnologiemobilegénère

9. Guided translation

a. *Mobile technology*: L_ t_____ m_____

b. *One of the advantages*: U__ d__ a_____

c. *In the world of work*: D_____ l_ m_____ d__ t_____

d. *It's effective and compact*: C'____ e_____ et c_____

e. *It's multifunctional*: C'_____ m_____

f. *Nowadays*: D___ n____ j_____

g. *Modern applications*: L__ a_____ m_____

h. *The high cost of these products*:
L__ c_____ é_____ d__ c___ p_____

10. Complete with the missing letters

a. À l'h _ _ _ _ actuelle

b. Le m_ _ _ _ du travail

c. La technologie m_ _ _ _ _

d. De n_ _ jours

e. L'o_ _ _ _ _ _ _ _ portable

f. C'est facile p_ _ _ voyager

g. C'est l_ _ _ _ à transporter

11. Translate into French

a. Mobile technology is a source of entertainment

b. One of its (ses) advantages is the ability to pay remotely

c. It is also easy to travel because it is light

d. One of the disadvantages is the high cost of these products

e. Another disadvantage is the distractions it generates

f. Mobile technology is very attractive because it is multifunctional

g. Nowadays, it is vital for our daily tasks

h. It is everywhere in our lives and indispensable in the world of work

i. I use my tablet, my mobile phone and my smartwatch every day because it is practical and effective

TEXT 1 - Bernard

(1) Dans notre société moderne, la technologie mobile est maintenant [now] indispensable dans le monde du travail tout comme à la maison. Ces appareils électroniques portables sont dorénavant omniprésents dans nos vies. Par exemple, tous les jours, j'adore me servir de mon ordinateur portable pour mon travail car c'est léger à transporter et très facile pour voyager. Je me sers aussi toujours de mon téléphone portable car c'est rapide et divertissant, mais également pratique pour communiquer avec mes amis et ma famille.

(2) À l'heure actuelle, la technologie mobile est attrayante car elle est versatile et les nouveaux appareils inventés ces dernières années ont très souvent plus d'une seule fonction. Par exemple, j'utilise ma tablette à la fois pour faire des recherches, pour jouer à des jeux vidéo en ligne ou pour regarder des films sur Netflix. De même, je me sers de mon téléphone pour envoyer des messages à mes amis, pour prendre des photos, pour écouter de la musique et pour lire les informations chaque matin. J'adore cela car c'est très pratique, efficace et compact.

(3) Un des avantages de la technologie mobile, c'est sans aucun doute l'accès aux applications modernes partout où on va à partir du moment où nous sommes connectés à internet. Cela donne la capacité de communiquer en dehors du bureau, ce qui nous permet [this allows us] plus de flexibilité géographique. Dorénavant, beaucoup de personnes font du télétravail, c'est à dire travailler de la maison quelques jours par semaine. Ce phénomène s'est notamment développé durant la pandémie du coronavirus et grâce à la technologie mobile, cela a été rendu possible [this has been made possible].

(4) Un des inconvénients majeurs de la technologie mobile, c'est le coût élevé de ces produits. Même s'ils sont maintenant moins coûteux qu'au début, ces appareils électroniques modernes sont loin d'être abordables et ils restent tout de même très chers pour le consommateur moyen. Par ailleurs, ils sont aussi une grande source de distraction pour tout le monde et génèrent parfois des comportements obsessifs chez certaines personnes.

12. Find in paragraph (1) the French equivalent for the following:

a. The world of work:

b. Electronic devices:

c. From now on:

d. In our lives:

e. I love using:

f. It is light:

g. I also use:

h. Entertaining:

i. Practical:

13. Complete the translation of paragraph (2) below

_____ , mobile technology is _____ because it is versatile and the new _____ invented in the last few years very _____ have more than one function. For instance, I _____ my tablet _____ to do some research, to play video games _____ or to watch films on Netflix. Likewise, I _____ my phone to _____ messages to my friends, to _____ photos, to listen to music and to _____ the news every _____ . I love it because it is very practical, _____ and compact.

14. Answer the following questions on paragraphs (3) and (4)

a. What is one of the advantages of mobile technology?

b. What is 'télétravail'?

c. What is a major disadvantage of mobile technology?

d. What other problems associated with mobile technology are mentioned in the last three lines of paragraph (4)?

TEXT 2 - Mathilde

(1) De nos jours, la technologie mobile est vitale pour nos tâches quotidiennes. Il n'y a pas une seule journée où je n'utilise pas mon téléphone portable, ma montre connectée ou ma tablette. J'en ai toujours besoin. Ces appareils électroniques intelligents sont dorénavant omniprésents dans ma routine journalière. Par exemple, j'utilise mon téléphone portable pour me réveiller le matin. Ensuite, je regarde les informations sur ma tablette en prenant mon petit-déjeuner et je lis mes messages sur ma montre connectée sur le chemin de l'école.

(2) J'adore me servir de mon téléphone portable pour écouter de la musique sur Spotify. C'est pratique, car je peux l'utiliser avec mes écouteurs à réduction de bruit ou avec mon enceinte portable. La qualité du son est maintenant incroyable par rapport à la taille de l'enceinte, c'est efficace et compact. J'utilise aussi souvent ma tablette car c'est léger à transporter et je m'en sépare rarement parce que j'en ai besoin au collège pour mon travail scolaire et aussi pendant mon temps libre pour me divertir et jouer aux jeux vidéo ou regarder des séries sur Netflix.

(3) Selon moi, un des avantages de la technologie mobile, c'est la capacité de payer à distance. Plus besoin d'avoir de l'argent liquide sur soi ! On peut désormais payer en ligne et sans contact grâce à des applications de paiement mobile, ce qui est plus rapide et plus facile aussi. Je m'en sers toujours pour faire les courses et je trouve cela vraiment pratique car je ne dois pas constamment retirer de l'argent avec ma carte bancaire au distributeur de billets.

(4) À mon avis, un des inconvénients de la technologie mobile, c'est le prix élevé de ces appareils électroniques. Même si les prix sont généralement en baisse, le coût financier d'un nouveau téléphone portable ou d'un nouvel ordinateur portable reste très haut. De plus, la technologie évolue si vite qu'après quelques années, ces appareils sont déjà obsolètes. L'autre inconvénient est que ces gadgets génèrent énormément de distractions pour leurs utilisateurs, ce qui peut résulter à une perte de temps considérable si on ne fait pas attention.

15. Translate into English the following phrases taken from paragraph (1)

a. Nos tâches quotidiennes

b. Une seule journée

c. J'en ai toujours besoin

d. Ces appareils électroniques intelligents

e. Pour me réveiller le matin

f. En prenant mon petit-déjeuner

g. Sur ma montre connectée

16. Find the French equivalent in paragraph (2)

a. My noise-cancelling earphones

b. My portable speaker

c. Sound

d. Compared to

e. The size of the speaker

f. Light

g. I need it

h. In order to have fun

17. Complete the following sentences based on paragraphs (3) and (4)

a. In my opinion, one of the advantages of mobile technology is the ability to _____

b. There is no longer the need to _____
_____!

c. Now one can pay online and contactless thanks to _____

d. One of the disadvantages is the _____
_____.

e. Even though the prices are decreasing, the cost of a new mobile phone and of a new laptop
_____.

f. Moreover, technology evolves so fast that _____
_____.

THE LANGUAGE GYM

18. Complete with the correct option choosing from the options below

La technologie _____ est maintenant indispensable dans le _____ du travail tout comme à la maison. Ces _____ électroniques portables sont omniprésents dans nos vies. Par exemple, tous les jours, j'adore me servir de mon _____ portable pour mon travail car c'est _____ à transporter et très facile pour voyager. Je me _____ aussi toujours de mon téléphone portable car c'est rapide et _____, mais également pratique pour communiquer avec mes amis et ma famille. J'adore me _____ de mon téléphone portable pour écouter de la musique sur Spotify. C'est pratique, car je peux l'utiliser avec mes _____ à réduction de bruit ou avec mon enceinte _____. J'utilise aussi souvent ma _____ car j'en ai besoin au collège pour mon _____ scolaire et aussi pendant mon temps libre pour me _____ et jouer aux jeux vidéo ou regarder des séries _____ Netflix.

écouteurs	sers	mobile	ordinateur	tablette	servir	travail
divertir	appareils	divertissant	sur	monde	léger	portable

---

19. Faulty translation

a. Nos tâches quotidiennes: *Our daily lives*

b. Ces appareils électroniques: *These electronic games*

c. Je me sers de mon ordinateur portable: *I like my laptop*

d. Partout où on va: *Whatever one does*

e. J'en ai besoin: *I use it*

f. C'est rapide et divertissant: *It is fast and useful*

g. Le prix élevé: *The high level*

h. Une enceinte portable: *A portable microphone*

---

20. Translate into English

a. Un des inconvénients de la technologie mobile, c'est le prix élevé de ces appareils électroniques

b. Un des avantages de la technologie mobile, c'est la capacité de payer à distance

c. La technologie mobile est vitale pour nos tâches quotidiennes

d. Ces gadgets génèrent énormément de distractions pour leurs utilisateurs

e. J'utilise souvent ma tablette car c'est léger à transporter et car elle est multifonctionnelle

f. Je me sers toujours de mon téléphone portable car c'est rapide et divertissant

g. J'utilise mon téléphone portable pour me réveiller le matin

h. Un des avantages de la technologie mobile, c'est l'accès aux applications modernes partout où on va si on est connecté à internet

21. Guided translation

a. *Mobile technology is indispensable*: L_ t_____ m_____ e____ i_____

b. *I always use my mobile phone*: J_ m_ s_____ t_____ d_ m__ t_____ p_____

c. *One of the advantages is…* : U_ d___ a_____ c'____ …

d. *I often use my tablet because it is light*: J'u_____ s_____ m_ t_____ c___ c'e__ l_____

e. *The high price of these devices*: L_ p____ é_____ d_ c__ a_____

f. *We can pay online and contactless*: O_ p___ p_____ e_ l_____ e_ s___ c_____

g. *It is light to transport*: C'____ l_____ à t_____

h. *It is vital for our daily chores*: C'_____ v_____ p___ n___ t_____ q_____

i. *Mobile technology is attractive because multifunctional*:
L_ t_____ m_____ e___ a_____ c___ e____ e__ m_____

22. Translate the following sentences in French

a. I like to use my laptop because it's easy to travel

b. Nowadays, mobile technology is everywhere in our lives

c. I always use my smartwatch because it's efficient and compact

d. One of the disadvantages of mobile technology is the distractions it generates

e. One of the advantages of mobile technology is geographical flexibility

f. I love my mobile phone because it is practical

g. From now on, mobile technology is indispensable in the world of work

h. It's fast and entertaining, but also practical to communicate with my friends and my family

23. Guided composition: write five short paragraphs about mobile technology. Say the following things:

- Introduce yourself (5 details)
- Say how you use mobile technology in your daily life (4 details)
- Talk about the advantages of mobile technology (4 details)
- Mention the disadvantages of mobile technology (2 details)
- Say how you use social media

THE LANGUAGE GYM

Key questions

Qu'est-ce que tu penses de la technologie mobile de nos jours?	*What do you think about mobile technology nowadays?*
Comment te sers-tu de la technologie mobile dans ta vie quotidienne?	*How do you use mobile technology in your daily life?*
Pourquoi aimes-tu te servir de ton ordinateur portable par exemple?	*Why do you like using your laptop for example?*
Quels sont les avantages de la technologie mobile?	*What are the advantages of mobile technology?*
Quels sont les inconvénients de la technologie mobile? Explique?	*What are the disadvantages of mobile technology? Explain?*
Pour quelles raisons utilises-tu généralement la technologie mobile?	*For what reasons do you generally use mobile technology?*
Penses-tu que la technologie mobile a changé la façon dont nous travaillons? Si oui, comment?	*Do you think mobile technology has changed the way we work? If yes, how?*
Crois-tu que technologie mobile a transformé la façon dont nous vivons?	*Do you believe that mobile technology has transformed the way we live?*

Unit 3. Mobile technology (past tense)

Depuis quelques années, *For some years now,* **Depuis quelques temps,** *For some time,* **Ces dernières années,** *In the last few years,* **Récemment,** *Recently,*	**la technologie mobile est devenue** *mobile technology has become*		**attrayante du fait de sa versatilité** *attractive due to its versatility* **essentielle pour notre divertissement** *essential for our entertainment* **indispensable pour voyager** *indispensable for travelling* **vitale pour nos tâches quotidiennes** *vital for our daily tasks*

Avant-hier, *The day before yesterday,* **Hier matin,** *Yesterday morning,* **Il y a deux jours,** *Two days ago,* **Samedi dernier,** *Last Saturday,*	**j'ai beaucoup utilisé** *I used a lot* **j'ai joué sur** *I played on* **j'ai pris l'avion avec** *I took a plane with* **j'ai travaillé sur** *I worked on* **je me suis servi(e) de** *I used*	**mon enceinte portable** *my portable speaker* **mon ordinateur portable** *my laptop* **ma tablette** *my tablet* **mon téléphone portable** *my mobile phone* **ma montre connectée** *my smartwatch*	**car c'était**	**efficace et compact** *efficient and compact* **facile pour voyager** *easy to travel* **léger à transporter** *light to transport* **pratique** *practical* **rapide et divertissant** *fast and entertaining*

Hier, grâce à la technologie mobile, j'ai pu *Yesterday, thanks to mobile technology, I was able to*	**avoir accès aux applications modernes pour mes devoirs** *access modern apps for my homework* **communiquer en dehors du bureau sans aucun problème** *communicate out of the office without any problem* **payer à distance pour mes achats en ligne** *pay remotely for my online shopping* **travailler de la maison** *work from home*

Il y a quelques jours, *A few days ago,* **La semaine dernière,** *Last week,*	**j'ai dépensé beaucoup d'argent** *I spent a lot of money* **j'ai dépensé mes économies** *I spent my savings*	**à cause du coût élevé de ma tablette neuve** *because of the high cost of my new tablet* **pour m'acheter un nouveau téléphone** *to buy myself a new phone*

Hier soir, *Yesterday evening,* **Le week-end dernier,** *Last weekend,*	**j'ai gaspillé mon temps à cause des** *I wasted my time because of the* **j'ai perdu au moins deux heures à cause des** *I lost at least two hours because of the*	**distractions sur mon téléphone** *distractions on my phone* **notifications des réseaux sociaux** *notifications on social media*

1. Phrase puzzle

a. années Depuis quelques: *For some years now*

b. rapide C'était divertissant et: *It was fast and entertaining*

c. économies dépensé J'ai mes: *I spent my savings*

d. distance à Payer: *To pay remotely*

e. problème aucun Sans: *Without any problem*

f. heures J'ai deux perdu: *I lost two hours*

g. transporter Léger à: *Light to transport*

h. pour Facile voyager: *Easy to travel*

i. mes Pour devoirs: *For my homework*

j. dernière semaine La: *Last week*

k. quotidiennes tâches Nos: *Our daily tasks*

l. nouveau Acheter téléphone un: *To buy a new phone*

2. Complete

a. Mes _____ en ligne: *My online shopping*

b. Payer __ distance: *To pay remotely*

c. J'ai _____ l'avion: *I took a plane*

d. J'ai _____ mon temps: *I wasted my time*

e. J'ai _____ deux heures: *I lost two hours*

f. Il y a deux _____ : *Two days ago*

g. Le week-end _____ : *Last weekend*

h. Il y a _____ jours: *A few days ago*

i. J'ai _____ sur: *I played on*

j. Hier _____ : *Yesterday morning*

k. Ma tablette _____ : *My new tablet*

3. Turn the following verbs into the perfect tense and then translate into English

Present	Perfect tense	Translation in English
J'utilise		
Je travaille		
Je dépense		
Je perds		
Je gaspille		
Je joue		
Je me sers de		
Je peux		
Je prends		

4. Correct the wrong spellings

a. J'ai bastillé mon temps

b. J'ai travelé sur ma tablet

c. J'ai dispense beaucoup d'argent

d. J'ai bocup utilised mon ordinateur

e. C'était rapid et diverted

f. J'ai pu communicaté

g. Depuis quelques timps

h. Au moyn deux houres

i. Je moi suis served

j. Mon ordinator portable

k. C'est dernier années

5. Circle the correct verb for each sentence

a. J'ai **pris/gaspillé/joué** l'avion pour Paris hier soir

b. J'ai **travaillé/dépensé/pu** beaucoup d'argent

c. J'ai **pu/perdu/gaspillé** communiquer en dehors du bureau

d. J'ai **pris/perdu/travaillé** sur mon ordinateur portable

e. J'ai **pu/dépensé/gaspillé** travailler de la maison

6. Add the missing accents

a. J'ai depense mes economies

b. A cause du cout eleve

c. Grace a la technologie

d. J'ai travaille sur mon telephone

e. Du fait de sa versatilite

 THE LANGUAGE GYM

Conversation entre amis (Première partie)

Vanessa: Qu'est-ce que la technologie mobile a changé dans ta vie de tous les jours?

Bernard: Je dirais que [I would say that] grâce à la technologie mobile ma vie est plus simple et plus agréable. Par exemple, le week-end dernier, j'ai pris l'avion pour aller à Lyon et j'ai travaillé sur mon ordinateur portable pendant le vol [the flight] car c'était léger à transporter et donc facile pour voyager. Je me suis aussi servi de mon téléphone portable pour répondre à mes messages et pour aller sur les réseaux sociaux. Avant la technologie mobile, cela n'était pas faisable [doable].

Vanessa: Selon toi, quels sont les avantages de la technologie mobile?

Bernard: Je voyage beaucoup pour mon travail et donc pour moi, c'est très pratique. Hier, j'ai pu communiquer avec mes collègues en étant loin du bureau. Cela m'a permis de travailler à distance sans aucun problème. J'ai pris l'habitude de faire du télétravail pendant la pandémie du coronavirus et c'était possible grâce aux avancées technologiques récentes en termes de communication. J'ai fait toutes mes réunions sur Zoom et j'ai aussi rencontré mes clients comme cela.

Vanessa: As-tu utilisé ton ordinateur portable pour tes activités de loisirs récemment? Comment?

Bernard: Oui, bien sûr! Hier, j'ai utilisé mon ordinateur portable pour jouer à des jeux vidéo en ligne et également pour regarder des films sur Netflix. De même, je me suis servi de mon téléphone portable pour envoyer des messages à mes amis, pour prendre des photos, pour écouter de la musique et pour lire les informations. J'ai adoré cela, car c'était très pratique et divertissant en même temps.

7. Match up

Agréable	Doable
Facile	I worked
Le vol	Remote working
Avant	To read
Faisable	At the same time
J'ai travaillé	The flight
Voyager	Far
Télétravail	Pleasant
En même temps	To travel
Loin	Easy
Lire	Before

8. Spot and fix the wrong translations

Je dirais que: *I would like to*

Je voyage beaucoup: *I never travel*

Mes collègues: *My schools*

Loin du bureau: *Near the office*

J'ai fait: *I went*

J'ai travaillé: *I travelled*

C'était possible: *It was possible*

Envoyer des messages: *To receive messages*

Écouter de la musique: *To listen to music*

J'ai pris l'avion: *I took the bus*

9. Complete the translation from the first question and answer above:

Q: _____ has mobile technology _____ in your _____ life?

A: I would _____ that thanks to mobile technology, my life is more _____ and more _____ .

For example, _____ weekend, I _____ a plane to _____ to Lyon and I _____ on my laptop _____ the flight because it was _____ to transport and therefore _____ to travel.

I also _____ my mobile phone to _____ my messages and to go on _____ _____ .

_____ mobile technology, it wasn't _____ .

10. Circle the correct English translation

	1	**2**	**3**
L'avion	Boat	Plane	Car
Léger	Heavy	Loud	Light
J'ai pris	I took	I gave	I went
Envoyer	To receive	To send	To bring
Divertissant	Boring	Interesting	Entertaining

11. Complete choosing the appropriate missing verb from the options below

a. J'ai _____ l'avion pour Paris hier soir

b. Je me suis aussi _____ de mon téléphone portable

c. J'ai _____ mon ordinateur portable pour jouer à des jeux vidéo

d. J'ai _____ toutes mes réunions sur Zoom

e. C'____ possible grâce aux avancées technologiques

f. J'ai _____ à distance pendant la pandémie

g. J'ai _____ avec ma tablette, c'était pratique

h. J'ai _____ communiquer avec mes collègues

travaillé	utilisé	fait	était
servi	pu	voyagé	pris

12. True, False or Not mentioned?

a. Because of mobile technology, Bernard's life is now more difficult

b. Last weekend he took a plane to Paris

c. He worked on his mobile phone during the flight

d. He travels a lot for his work

e. Thanks to mobile technology, he can communicate with his colleagues remotely

f. He has never been working from home

g. He knows how to use Zoom

h. He also uses his laptop to play video games

i. Yesterday, he used his mobile phone to take some photos

13. Answer the following questions about the conversation above

a. Why does Bernard like to travel with his laptop? (2 details)

b. Where did he go last weekend?

c. Explain in your own words what "télétravail" means?

d. How did Bernard meet his client during the pandemic?

e. What did he do on his laptop during his free time yesterday? (2 details)

f. Please list the 4 things he did on his mobile phone yesterday:

-

-

-

-

Conversation entre amis (Deuxième partie)

Vanessa: À ton avis, quels sont les inconvénients de la technologie mobile? Explique?

Bernard: Comme pour tout, il y a des points forts et des points faibles. Je dirais que la faiblesse principale *[the main weakness]* de la technologie mobile c'est premièrement son prix. Ces produits coûtent très chers et ne sont pas accessibles à tous. La semaine dernière, j'ai dépensé beaucoup d'argent à cause du coût élevé de ma tablette neuve.

Deuxièmement, beaucoup de gens sont accros à leur téléphone portable et je trouve cela dommage car il y a moins de conversations face à face et de relations directes. C'est aussi une grande distraction et hier soir, j'ai perdu au moins deux heures à cause des distractions sur mon téléphone.

Vanessa: Crois-tu que technologie mobile a transformé la façon dont nous vivons?

Bernard: Oui, certainement. Depuis quelques années, la technologie mobile est devenue indispensable dans le monde du travail tout comme à la maison. Ces appareils électroniques portables sont omniprésents dans nos vies.

Vanessa: À part ton téléphone et ton ordinateur portable, quels autres appareils utilises-tu et comment?

Bernard: Hier matin, par exemple, je me suis servi de ma montre connectée pour faire du sport car c'était efficace et compact. Je suis allé faire du footing et j'ai pu lire mes messages et regarder mes notifications.

Vanessa: Quel est ton appareil électronique favori? Pourquoi?

Bernard: Je ne voyage plus jamais sans mon enceinte portable car j'aime écouter ma musique préférée partout où je vais. C'est très compact et efficace. La qualité du son est excellente!

14. Positive or Negative?

a. La faiblesse principale de la technologie mobile, c'est son prix

b. Ces produits coûtent très chers et ne sont pas accessibles à tous

c. C'était efficace et compact

d. J'ai perdu au moins deux heures

e. La qualité du son est excellente!

f. Beaucoup de gens sont accros à leur téléphone portable

g. J'ai dépensé beaucoup d'argent à cause du coût élevé de ma tablette neuve

h. J'aime écouter ma musique préférée partout où je vais

15. Faulty translation – Correct the 6 translation mistakes below:

a. Omniprésents: *Practical*

b. Indispensable: *Available*

c. Efficace: *Efficient*

d. Accros: *Independent*

e. Très chers: *Very cheap*

f. Je trouve cela dommage: *I find that amazing*

g. J'ai pu lire mes messages: *I was able to answer my messages*

h. Appareil électronique: *Electronic device*

16. Complete the translation from the first question and answer above:

Q: In your _____ , what are the _____ of mobile technology? _____ ?

A: As for _____ , there are some _____ points and some _____ points. I would _____ that the _____ weakness of mobile technology is _____ its _____ . These products are very _____ and are not accessible to _____ . Last _____ , I _____ a lot of _____ because of the high _____ of my _____ tablet.

THE LANGUAGE GYM

17. Find the French for the following words or sentences in the conversation above:

a. Firstly:

b. Secondly:

c. Last week:

d. I went jogging:

e. My smartwatch:

f. I spent a lot of money:

g. I find that unfortunate:

h. It was efficient and compact:

i. I was able to read my messages:

j. In the world of work just like at home:

18. Answer the following questions about the conversation above

a. What is the first weakness Bernard mentions about mobile technology?

b. What is the second weak point?

c. What mobile device did he use to exercise yesterday?

d. What is his favourite electronic device and why?

e. What did he buy last week?

f. What was he able to do while jogging?

g. What two adjectives does he use to describe his portable speaker?

h. How much time did he lose yesterday because of his mobile phone?

19. Complete choosing the appropriate missing words from the options below

Depuis quelques années, la technologie mobile est _____ indispensable dans le monde du _____ tout comme à la maison. Ces appareils électroniques portables sont _____ dans nos vies.

Hier _____ , par exemple, je me suis _____ de ma _____ connectée pour faire du sport car c'était _____ et compact. Je suis _____ faire du footing et j'ai _____ lire mes messages et regarder mes notifications.

Je ne voyage plus _____ sans mon enceinte portable car j'aime écouter ma musique préférée _____ où je vais. C'est très petit, mais la qualité du _____ est excellente!

matin	son	servi	travail
partout	allé	pu	efficace
montre	jamais	devenue	omniprésents

20. Translate into French

a. I was able to read:

b. I like to listen to my favourite music:

c. I went jogging:

d. I find that unfortunate:

e. I spent a lot of money:

f. I used my smartwatch:

g. I lost at least two hours:

h. I never travel without my portable speaker anymore:

21. Answer the following questions to the best of your ability using the Sentence Builder from this unit and the conversation above for support. Then practice with a partner

a. Qu'est-ce que la technologie mobile a changé dans ta vie de tous les jours?

b. À ton avis, quels sont les inconvénients de la technologie mobile? Explique?

c. As-tu utilisé ton ordinateur portable pour tes activités de loisirs récemment? Comment?

d. Quel est ton appareil électronique favori? Pourquoi?

Key questions

Qu'est-ce que la technologie mobile a changé dans ta vie de tous les jours?	*What has mobile technology changed in your everyday life?*
Raconte-moi comment tu t'es servi(e) de la technologie mobile hier?	*Tell me how you have used mobile technology yesterday?*
As-tu utilisé ton ordinateur portable pour tes activités de loisirs récemment? Comment?	*Have you used your laptop for your leisure activities recently? How?*
Quels sont les avantages de la technologie mobile?	*What are the advantages of mobile technology?*
Quels sont les inconvénients de la technologie mobile? Explique?	*What are the disadvantages of mobile technology? Explain?*
Pour quelles raisons utilises-tu généralement la technologie mobile?	*For what reasons do you generally use mobile technology?*
Penses-tu que la technologie mobile a changé la façon dont nous travaillons? Si oui, comment?	*Do you think mobile technology has changed the way we work? If yes, how?*
Crois-tu que technologie mobile a transformé la façon dont nous vivons?	*Do you believe that mobile technology has transformed the way we live?*
Donne-moi des exemples de comment tu as utilisé la technologie mobile pour tes devoirs cette semaine?	*Give me some examples of how you have used mobile technology for your homework this week?*

THE LANGUAGE GYM

Unit 4. Pros and cons of new technologies (present tense)

J'adore les *I love* **J'aime beaucoup les** *I like a lot* **Je suis en faveur des** *I am in favour of* **Je suis pour les** *I am for*	**nouvelles technologies car elles** *new technologies because they*	**donnent accès à de nombreuses informations** *give access to ample information* **encouragent la créativité** *encourage creativity* **facilitent les recherches** *make research easier* **me font gagner du temps** *save me time* **nous permettent de faire les choses plus vite** *enable us to make things faster* **nous permettent d'augmenter notre productivité** *enable us to increase our productivity* **nous permettent de communiquer gratuitement et instantanément** *allow us to communicate for free and instantly* **permettent une meilleure mobilité** *allow better mobility* **permettent une meilleure organisation** *allow better organisation* **réduisent les efforts humains** *reduce human efforts* **simplifient la vie de tous les jours** *simplify everyday life* **sont une bonne manière de se divertir** *are a good way to entertain oneself*

Je critique souvent les *I often criticise* **J'évite les** *I avoid* **Je fais attention aux** *I am careful with* **Je hais les** *I hate* **Je n'aime pas du tout les** *I don't like at all* **Je m'oppose aux** *I am opposed to* **Je suis contre les** *I am against*	**nouvelles technologies car elles** *new technologies because they*	**affectent négativement les relations humaines** *negatively affect human relationships* **augmentent les risques de sécurité en ligne** *increase security risks online* **causent beaucoup de distractions** *cause many distractions* **nous déconnectent de la réalité** *disconnect us from reality* **me font perdre du temps** *make me waste time* **nous rendent paresseux** *make us lazy* **ouvrent la voie aux pertes de données** *pave (open) the way for data losses* **sont chères et donc pas accessibles à tous** *are expensive and therefore not accessible to all*

1. Match up

Donner accès	To do things faster
Encourager la créativité	To save time
Faire des recherches	To simplify everyday life
Gagner du temps	To do some research
Faire les choses plus vite	To allow better organization
Permettre une meilleure organisation	To reduce efforts
Se divertir	To give access
Communiquer gratuitement	To encourage creativity
Réduire les efforts	To entertain oneself
Simplifier la vie de tous les jours	To communicate for free
Augmenter la productivité	To increase productivity

2. Find the French for the following in activity 1

a. *Access*: A_ _ _ _

b. *To reduce*: R_ _ _ _ _ _

c. *Life*: V_ _

d. *To give*: D_ _ _ _ _

e. *Things*: C_ _ _ _ _

f. *Time*: T_ _ _ _

g. *To save*: G_ _ _ _ _

h. *Better*: M_ _ _ _ _ _ _ _

i. *Faster*: P_ _ _ v_ _ _

j. *To entertain oneself*:
S_ d_ _ _ _ _ _ _

3. Complete choosing the appropriate missing noun from the options below

Les nouvelles technologies…

a. …nous permettent de faire les _____ plus vite

b. …nous donnent _____ à de nombreuses informations

c. …nous font gagner du _____

d. …sont une _____ de se divertir

e. …permettent d'augmenter notre _____

f. …et facilitent les _____

g. …réduisent les _____ humains

h. … simplifient la _____ de tous les jours

accès	productivité	recherches	vie
choses	temps	manière	efforts

4. Translate into English

a. Elles donnent accès: *They* _____

b. Elles sont: *They* _____

c. Elles permettent: *They* _____

d. Elles simplifient: *They* _____

e. Elles augmentent: *They* _____

f. Elles réduisent: *They* _____

g. Elles déconnectent: *They* _____

h. Elles facilitent: *They* _____

i. Elles causent: *They* _____

5. Broken words

a. Une meill_ _ _ _ mobilité: *A better mobility*

b. Une mani_ _ _ de se divertir: *A way to have fun*

c. La v_ _ de tous les jours: *Everyday life*

d. Les nouve_ _ _ _ _ technologies: *New technologies*

e. Les cho_ _ _ : *Things*

f. De nomb_ _ _ _ _ _ informations: *Ample information*

g. Les risques de secu_ _ _ _ : *Security risks*

6. Anagrams

a. eurellMei: *Better*

b. eTmsp: *Time*

c. eredrP: *To waste*

d. onnDées: *Data*

e. tonCre: *Against*

f. ertPes: *Losses*

g. cnoD: *Therefore*

h. emeGrattuint: *For free*

i. anMière: *Way*

j. eVi: *Life*

k. hèCers: *Expensive*

l. axePusres: *Lazy*

THE LANGUAGE GYM

7. Sentence puzzles

a. permettent technologies Les productivité nouvelles nous d'augmenter la
   New technologies allow us to increase productivity

b. technologies Les nouvelles nous plus de faire les vite permettent choses
   New technologies allow us to do things faster

c. Les technologies affectent nouvelles les humaines relations négativement
   New technologies negatively affect human relationships

d. technologies rendent Les nouvelles paresseux nous
   New technologies make us lazy

e. les technologies J'adore car elles nous temps font gagner du nouvelles
   I love new technologies because they make us save time

f. en faveur des Je suis technologies car créativité elles la nouvelles encouragent
   I am in favour of new technologies because they encourage creativity

g. contre Je suis les nouvelles car me temps font perdre du technologies elles
   I am against new technologies because they make me waste time

8. Spot the missing word: one word is missing from the sentences below. Spot it and supply it

Les nouvelles technologies...

a. ...permettent augmenter notre productivité

b. ... nous déconnectent la réalité

c. ...ouvrent la voie pertes de données

d. ... sont chères et donc accessibles à tous

e. ...me font gagner temps

f. ... encouragent créativité

9. Spot the error and correct it

a. Elles permettent un meilleure mobilité

b. Elles nous rend paresseux

c. Elles réduisent les efforts humaines

d. Elles permettent nous de faire les choses plus vite

e. Elles augmentent les risques de sécurité enligne

f. Elles ouvrent la voie au pertes de données

g. Elles sont chère

h. Elles causent beaucoup des distractions

10. Complete with the appropriate verb

a. Les nouvelles technologies a_ _ _ _ _ _ _ _ négativement les relations humaines

b. Elles c_ _ _ _ _ _ aussi beaucoup de distractions

c. En plus, elles o_ _ _ _ _ _ la voie aux pertes de données

d. Finalement, elles nous r_ _ _ _ _ _ paresseux

e. Cependant, elles nous d_ _ _ _ _ _ accès à beaucoup d'informations

f. Par ailleurs, elles nous f_ _ _ gagner du temps

g. De même, elles s_ _ _ une manière de se divertir

h. Ce qui est le plus important pour moi, c'est qu'elles nous p_ _ _ _ _ _ _ _ _ de communiquer gratuitement et instantanément

11. Circle the correct translation

	1	2	3
La vie	envy	life	risk
Le temps	time	day	thing
Les choses	things	people	gadgets
Augmenter	to increase	to reduce	to affect
Plus vite	worse	slower	faster
Perdre	to lose, to waste	to make, to do	to change, to modify
Donner	to affect	to give	to open
Contre	against	in favour	opposite
Ouvrir	to close	to open	to give

12. Guided translation

a. Human efforts: L _ _ e _ _ _ _ _ _ _   h _ _ _ _ _ _ _

b. A better organization: U _ _ m _ _ _ _ _ _ _ _   o _ _ _ _ _ _ _ _ _ _ _

c. The security risks: L _ _   r _ _ _ _ _ _   d _ s _ _ _ _ _ _ _

d. To waste time : P _ _ _ _ _ d _ t _ _ _ _

e. They (f) cause a lot of distractions : E _ _ _ _   c _ _ _ _ _ _   b _ _ _ _ _ _ _   d _ d _ _ _ _ _ _ _ _ _ _ _

f. They make research easy: E _ _ _ _   f _ _ _ _ _ _ _ _ _ _   l _ _ r _ _ _ _ _ _ _ _ _

g. A better mobility : U _ _ m _ _ _ _ _ _ _ _   m _ _ _ _ _ _ _

h. To do things faster: F _ _ _ _   l _ _ c _ _ _ _ _   p _ _ _ v _ _ _

13. Translate into French

a. I love new technologies because they allow us to increase our productivity

b. Moreover, they simplify everyday life because they allow us to do things faster

c. Likewise, they encourage creativity…

d. …and are a way to entertain oneself

e. Unfortunately, they cause a lot of distraction

f. Therefore, sometimes they make me waste time

g. Moreover, they disconnect us from reality and often negatively affect human relationships

h. There are also many dangers. For instance, they pave the way for data losses

i. However, I am mainly (surtout) against new technologies because they make us lazy and disconnect us from reality

TEXT 1: Renaud

(1) Selon moi, les nouvelles technologies ont à la fois des points positifs et des points négatifs. Ce que j'adore, c'est qu'elles donnent accès à de nombreuses informations en juste quelques clics de souris *[mouse clicks]*. Ainsi, j'utilise toujours internet pour faire des recherches pour mon travail scolaire ou quand j'ai besoin de renseignements *[information]* sur un endroit *[a place]*, un magasin, une marque, des horaires *[timetables]* ou une personne. Internet donne facilement accès à un large éventail de documents et sites en tous genres, ce qui est très pratique.

(2) J'aime aussi beaucoup les nouvelles technologies, car à mon avis elles encouragent la créativité grâce à de nombreuses applications astucieuses *[ingenious]* pour dessiner, prendre et éditer des photos et aussi enregistrer *[to record]* et éditer des vidéos. Ces activités créatives qui auparavant nécessitaient un niveau élevé de compétences techniques, sont dorénavant à la portée de tous *[within everyone's reach]*. De nombreux tutoriels sont disponibles gratuitement en ligne lorsque l'on veut apprendre à s'en servir.

(3) Cependant, ce que je déteste, c'est que les nouvelles technologies affectent négativement les relations humaines. Du fait des messageries instantanées et des courriels, les gens ne se parlent plus autant en face-à-face et cela peut développer un sentiment de solitude chez certaines personnes. Par ailleurs, je suis contre les nouvelles technologies car elles causent beaucoup de distractions dans nos vies quotidiennes et peuvent mener à *[lead to]* des comportements obsessifs, surtout avec les réseaux sociaux.

(4) Un autre gros problème lié aux nouvelles technologies, c'est leur vulnérabilité au niveau de la sécurité. Chaque jour, de nombreuses personnes sont victimes de fraudes diverses en ligne. Les fuites *[leaks]* de données bancaires ou personnelles arrivent *[happen]* très souvent et le piratage informatique est malheureusement devenu le métier des criminels modernes qui profitent des failles *[flaws]* des systèmes informatiques.

14. Find the French equivalent for the following words/phrases in paragraph 1:

a. According to me:

b. They give access:

c. For my schoolwork:

d. I need:

e. A brand:

f. Gives:

g. Range:

h. Of all kinds:

15. Faulty translation – Correct the 8 translation mistakes in the translation of paragraph (2) below

I also quite like new technologies because in my opinion they encourage creativity thanks to a few ingenious apps to draw, copy and edit photos and also for recording and editing videos. These creative activities which in the past required a low level of technical skills, are almost within everyone's reach. Many tutors are available daily online when one wants to learn how to serve it.

16. Complete the sentences below based on paragraphs (3) and (4)

a. New technologies negatively affect _____ _____

b. Because of instant messaging and emails, people _____

c. Renaud is against new technologies because _____ _____

d. They can also lead to _____

e. Another big problem is vulnerability _____ _____

f. Every day, numerous people are victims of _____ _____

g. Leaks of banking data _____

h. Computer hacking _____

TEXT 2 - Mélanie

(1) À mon avis, les nouvelles technologies ont à la fois du bon et du mauvais. Je suis généralement en faveur de ces appareils électroniques, car ils ont totalement révolutionné nos vies et la façon dont nous travaillons et communiquons aujourd'hui. Ce que j'aime le plus, c'est qu'elles facilitent les recherches et nous permettent de faire les choses plus vite. J'utilise toujours mon ordinateur pour faire mes devoirs, car grâce à internet j'ai accès à de nombreuses informations très rapidement, ce qui me fait gagner du temps.

(2) Par ailleurs, je me sers tout le temps de mon téléphone portable pour rester en contact avec mes amis et ma famille. Les messageries instantanées sont si rapides et si pratiques et en plus elles sont gratuites et fonctionnent d'un pays à l'autre. J'utilise également ma tablette pour me divertir et j'aime jouer à des jeux vidéo en ligne et aussi regarder mes séries préférées sur Netflix. De même, je passe un peu de temps sur les réseaux sociaux chaque jour et j'adore poster des photos et des vidéos sur Instagram.

(3) Par contre, un des points négatifs des nouvelles technologies, ce sont les distractions qu'elles génèrent et cela tout le monde le sait. D'un côté elles nous font gagner un temps précieux avec notre travail, mais de l'autre elles nous en font perdre beaucoup, notamment à cause des réseaux sociaux. Les notifications ont tendance à constamment nous déconcentrer si on les laisse allumées et il devient difficile de se focaliser sur autre chose. Beaucoup de gens deviennent accros aux réseaux sociaux et y passent la majorité de leur temps.

(4) De même, ce qui m'inquiète *[what worries me]*, c'est le piratage informatique et l'insécurité que ces nouveaux appareils entraînent *[bring about]*. Vols de données, usurpation d'identité *[identity fraud]*, les systèmes informatiques sont vulnérables et peuvent mettre en danger nos informations personnelles et aussi nos détails bancaires. Récemment, mon père s'est fait cloner sa carte de crédit et on lui a volé beaucoup d'argent sur son compte. Quel malheur!

17. Find the French equivalent for the following words in paragraph (1)

a. *New (plural feminine)*: N_ _ _ _ _ _ _ _

b. *Good*: B_ _

c. *Bad*: M_ _ _ _ _ _

d. *Lives*: V_ _ _

e. *Way*: F_ _ _ _

f. *Today*: A_ _ _ _ _ _ _ _

g. *(They) Make easy*: F_ _ _ _ _ _ _ _ _

h. *(They) Allow*: P_ _ _ _ _ _ _ _ _

i. *Things*: C_ _ _ _ _

j. *Fast*: V_ _ _

18. Complete the following sentences based on paragraphs (2) and (3)

a. I use my mobile phone all the time to _____ _____

b. Instant messaging apps are so _____ and so _____ and moreover _____ and _____

c. I also use my tablet to _____

d. Likewise, I spend a bit of time on _____ _____ and love to _____

e. A negative point is the _____

f. On the one hand, they _____, but on the other, they _____ _____

g. Many people _____

19. Translate into English the following items from paragraph (4)

a. Le piratage informatique:

b. Ces nouveaux appareils:

c. Vols de données:

d. Peuvent mettre en danger:

e. Nos détails bancaires:

f. Récemment:

g. On lui a volé beaucoup d'argent:

h. Quel malheur!

 **THE LANGUAGE GYM**

20. Complete the text with the missing verbs choosing from the options below

Selon moi, les nouvelles technologies _____ à la fois des points positifs et des points négatifs. Ce que j'adore, c'est qu'elles _____ accès à de nombreuses informations en juste quelques clics de souris. Ainsi, j'_____ toujours internet pour faire des recherches pour mon travail scolaire ou quand j'_____ besoin de renseignements sur un endroit, un magasin, une marque, des horaires ou une personne. Internet _____ facilement accès à un large éventail de documents et sites en tous genres, ce qui _____ très pratique.

Par contre, un des points négatifs des nouvelles technologies, ce _____ les distractions qu'elles _____ et cela tout le monde le sait. D'un côté elles nous font _____ un temps précieux avec notre travail, mais de l'autre elles nous en _____ perdre beaucoup, notamment à cause des réseaux sociaux. Les notifications ont tendance à constamment nous déconcentrer si on les laisse _____ et il devient difficile de se focaliser sur autre chose. Beaucoup de gens _____ accros aux réseaux sociaux et y passent la majorité de leur temps.

génèrent	donnent	sont	gagner	ai	est
allumées	utilise	font	ont	deviennent	donne

21. Translate into English

a. Les nouvelles technologies ont du bon et du mauvais

b. Je suis en faveur de ces appareils électroniques

c. Ils ont complètement révolutionné nos vies

d. Ce que j'aime le plus c'est que ces appareils nous font faire les choses plus vite

e. Les notifications des réseaux sociaux ont tendance à nous déconcentrer

f. Beaucoup de gens deviennent accros aux réseaux sociaux

g. Ce qui m'inquiète le plus c'est le piratage informatique

h. Les fuites de données bancaires arrivent très souvent

i. Les criminels modernes profitent des failles des systèmes informatiques

22. Complete with the missing vowels

a. L_ p_r_t_g_ __nf_rm_t_q__: *Computer hacking*

b. L_s ch_s_s: *The things*

c. _ccr_ : *Addicted*

d. _pp_r__ls: *Devices*

e. J_ s__ s _n f_v__r: *I am in favour*

f. D_ b_n t d_ m__ v__ s: *Some good and some bad*

g. V_ls d_ d_nn__ s: *Data theft*

h. L_s m_ss_g_r__s _nst_nt_n__ s: *Instant messaging apps*

23. Anagrams

a. *People*: enGs

b. *Thefts*: oVsl

c. *Devices*: reppAails

d. *Hacking*: iraPgeta

e. *Addicted* (pl): sccAro

f. *Good*: onB

g. *Bad*: auMaisv

h. *Leaks*: uitFes

i. *Things*: hoCsse

24. Translate into French (word level)

a. *Hacking*: P

b. *Bad*: M

c. *Good*: B

d. *Fast*: V

e. *Things*: C

f. *Systems*: S

g. *Leaks*: F

h. *To save (time)*: G

i. *Life*: V

j. *Addicted*: A

k. *Data*: D

l. *Devices*: A

m. *People*: G

n. *Against*: C

o. *Criminals*: C

p. *Thefts*: V

q. *Time*: T

r. *Electronic*: E

s. *(they) Become*: D

t. *Tablet*: T

u. *Computer*: O

25. Translate into French (phrase level)

a. Computer hacking:

b. Data theft:

c. Credit card:

d. In favour:

e. IT systems:

f. To waste time:

g. To save time:

h. Some good and some bad:

i. Faster:

j. To become addicted:

k. Electronic devices:

l. Data loss:

m. Social media:

n. The way we work:

26. Translate into French

a. I love new technologies because they allow us to increase our productivity

b. Moreover, they simplify our daily life because they allow us to do things faster

c. New technologies also encourage creativity and are a good way to entertain oneself

d. Unfortunately, they often make us waste time. For instance, social network notifications often make us lose concentration

e. Moreover, they disconnect us from reality and often negatively affect human relationships

f. They also make us lazy

g. There are also many dangers. For instance, there are many identity thefts and data thefts. Last week, my father had his credit card cloned

27. Write a 140 words composition in which you include the following points

- What electronic devices you have and how you use them
- What social media you use and why
- What are the pros and cons of new technologies as far as you are concerned
- The pros and cons of new technologies for people in general
- What you like the most about them
- What you like the least about them

Key questions

Selon toi, quels sont les aspects positifs des nouvelles technologies?	*According to you, what are the positive aspects of new technologies?*
À ton avis, quels en sont les aspects négatifs?	*In your opinion, what are their negative aspects?*
Donne-moi un exemple de comment les nouvelles technologies améliorent ta vie quotidienne?	*Give me an example of how new technologies improve your daily life?*
Es-tu pour ou contre les nouvelles technologies et pourquoi?	*Are you in favour or against new technologies?*
As-tu déjà été victime de fraude en ligne?	*Have you ever been a victim of fraud online?*
Donne-moi un exemple de comment les appareils électroniques te font gagner du temps?	*Give me an example of how electronic devices make you save time?*
Maintenant, donne-moi un exemple de comment les appareils électroniques te font perdre du temps?	*Now, give me an example of how electronic devices make you waste time?*

Unit 4. Pros and cons of new technologies (past tense)

J'ai toujours adoré les *I have always loved* **J'ai beaucoup aimé les** *I liked a lot* **J'étais en faveur des** *I was in favour of* **J'étais pour les** *I was for*	**nouvelles technologies car elles** *new technologies because they* **ordinateurs portables car ils** *laptops because they* **téléphones portables car ils** *mobile phones because they*	**ont donné accès à de nombreuses informations** *gave access to ample information* **ont encouragé la créativité** *encouraged creativity* **ont facilité les recherches** *made research easier* **m'ont fait gagner du temps** *saved me time* **nous ont permis de faire les choses plus vite** *enabled us to do things faster* **m'ont permis d'augmenter ma productivité** *enabled me to increase my productivity* **ont permis de communiquer gratuitement et instantanément** *allowed free and instant communication* **ont permis une meilleure mobilité** *allowed better mobility* **ont permis une meilleure organisation** *allowed better organisation* **ont réduit les efforts humains** *reduced human efforts* **ont simplifié la vie de tous les jours** *simplified everyday life* **étaient une manière de se divertir** *were a way to entertain oneself*

J'ai toujours détesté les *I have always hated* **J'ai toujours été opposé aux** *I have always been opposed to* **J'ai souvent critiqué les** *I have often criticized* **J'ai longtemps évité les** *For a long time, I have avoided* **J'ai souvent été contre les** *I have often been against*	**nouvelles technologies car elles** *new technologies because they*	**ont affecté négativement les relations humaines** *negatively affected human relationships* **ont augmenté les risques de sécurité en ligne** *increased security risks online* **ont causé beaucoup de distractions** *caused many distractions* **nous ont déconnecté de la réalité** *disconnected us from reality* **nous ont fait perdre du temps** *made us waste time* **nous ont rendu paresseux** *made us lazy* **ont ouvert la voie aux pertes de données** *paved the way for data losses* **étaient chères et donc pas accessibles à tous** *were expensive and therefore not accessible to all*

THE LANGUAGE GYM

1. Match up

J'ai toujours adoré	To save time
J'ai souvent critiqué	They were expensive
Une meilleure organisation	Everyday life
J'étais pour	A way to entertain oneself
Gagner du temps	To do things faster
Elles étaient chères	Better organisation
Elles nous ont rendu paresseux	I was for
La vie de tous les jours	I have always loved
Une manière de se divertir	They made us lazy
Faire les choses plus vite	I have often criticized

2. Complete with the missing letters, then translate into English

a. J'ai longtemps év_ _ _

b. J'ai toujours été op_ _ _ _

c. Elles ont ouv_ _ _ la voie

d. J'ai toujours dé _ _ _ _ _

e. Elles ont ré _ _ _ _

f. Elles ont perm _ _

g. Per _ _ _ du temps

h. Elles ont faci _ _ _ _

i. Elles ont do _ _ _ accès

j. Elles ont aug _ _ _ _ _

3. Write the past participle for the following verbs

Permettre	
Ouvrir	
Réduire	
Augmenter	
Encourager	
Éviter	
Rendre	
Être	
Donner	
Causer	

4. Circle the correct verb for each sentence

a. Elles nous ont **déconnecté/donné/ouvert** de la réalité

b. Elles nous ont **simplifié/évité/rendu** paresseux

c. Elles ont **augmenté/réduit/causé** beaucoup de distractions

d. Elles ont **encouragé/réduit/été** les efforts humains

e. Elles ont **permis/fait/déconnecté** une meilleure mobilité

f. Elles ont **ouvert/évité/été** la voie aux pertes de données

5. Translate in English

a. Elles ont donné accès:

b. Elles ont affecté négativement:

c. Elles ont encouragé la créativité:

d. Elles nous ont fait perdre du temps:

6. Sentence puzzle

a. téléphones longtemps J'ai évité portables les: *For a long time, I have avoided mobile phones*

b. souvent nouvelles J'ai critiqué technologies les: *I have often criticized new technologies*

c. les J'ai toujours tablettes détesté: *I have always hated tablets*

d. adoré J'ai ordinateurs toujours les portables: *I have always loved laptops*

e. en sociaux faveur j'étais des Avant, réseaux: *Before, I was in favour of social media*

f. beaucoup J'ai recherches aimé cela les pour: *I liked this a lot for research*

 **THE LANGUAGE GYM**

Conversation entre amis (Première partie)

Amandine a totalement arrêté d'utiliser les nouvelles technologies depuis un an maintenant. Arnaud lui pose quelques questions pour connaître les raisons de sa décision.

Arnaud: Bonjour Amandine. Dis-moi, pourquoi as-tu complètement arrêté d'utiliser les nouvelles technologies?

Amandine: Salut Arnaud. Au début, je pensais que les nouvelles technologies n'avaient que de bons côtés. J'étais généralement en faveur de ces appareils électroniques, car ils avaient totalement révolutionné et amélioré ma vie et ma façon d'étudier et de communiquer.

Arnaud: Et alors, que s'est-il passé?

Amandine: Je suis très vite devenue complètement accro aux jeux vidéo et aux réseaux sociaux. J'étais constamment sur mon téléphone portable. Je ne voulais plus sortir de chez moi. Malheureusement, je préférais passer du temps seule sur mon téléphone au lieu de rencontrer mes amis.

7. Find the French for the following words in the conversation

a. Stopped:

b. Now:

c. To know:

d. To use:

e. Hi:

f. At the beginning:

g. I thought that:

h. Positive sides:

i. Electronic devices:

j. To study:

k. Very fast:

l. On my own:

m: To meet:

8. Answer the questions in English

a. What did Amandine think about new technologies at the beginning?

b. What are the two areas of her life that electronic devices particularly changed at first?

c. How do you say: "what happened" in French?

d. Why did she stop using electronic devices?

e. How did new technologies affect her relationships?

9. Complete the translation from the second answer

I _____ very _____ completely _____ to video games and _____ _____ . I was _____ on my _____ phone. I didn't want to ___ _____ of my _____ anymore. Unfortunately, I _____ to _____ time ___ ___ ___ on my phone instead of _____ my friends.

10. Circle the correct English translation

	1	2	3
De bons côtés	Next to	Positive sides	Good ribs
Connaître	To know	Well-known	Know-it-all
Au lieu de	Instead of	In person	At the house of
Je suis devenue	I guessed	I am divine	I became

 THE LANGUAGE GYM

11. Turn the following verbs in the imperfect and then translate in English

Present	Imperfect	Translation in English
Je pense que		
Je suis		
Je veux		
Ils ont		
Je préfère		

12. Positive or Negative?

a. J'étais en faveur de

b. Je suis devenue accro

c. De bons côtés

d. Je ne voulais plus sortir de chez moi

e. Malheureusement

f. Je préférais passer du temps seule sur mon téléphone au lieu de rencontrer mes amis

13. Quiz time: find the following items in the conversation above

a. 2 forms of greeting:

b. An equivalent for "complètement transformé":

c. 2 question words:

d. 5 adverbs:

e. 5 verbs in the infinitive:

f. 2 proper nouns:

g. An equivalent for "à la maison":

h. 5 verbs in the imperfect:

14. Translate into English

a. J'ai arrêté de:

b. Depuis un an:

c. Au début:

d. Au lieu de:

e. Chez moi:

f. Dis-moi:

g. Je ne voulais plus:

h. Rencontrer mes amis:

i. Ma façon d'étudier:

15. Gapped translation

a. _____ un an _____ :
For a year now

b. _____ les raisons: *To know the reasons*

c. _____ as-tu _____ : *Why have you stopped*

d. Au _____ : *At the beginning*

e. J'_____ en _____ : *I was in favour*

f. Ma _____ d'_____ : *My way of studying*

g. _____ s'est-il _____ : *What happened*

h. _____ de _____ moi: *To go out of my house*

i. _____ ma tablette: *To use my tablet*

j. _____ du temps: *To spend time*

k. Les _____ sociaux: *Social media*

16. Translate into French

a. My way of communicating:

b. To go out from home:

c. Electronic devices:

d. Unfortunately:

e. To use new technologies:

f. I became addicted to my mobile phone:

g. I preferred spending time at home:

h. New technologies have disconnected us from reality:

i. I have always loved my laptop because it's practical:

j. Social media have caused many distractions:

k. I have often criticised Facebook:

THE LANGUAGE GYM

Arnaud: Quels ont été les effets de cette addiction sur ta vie?

Amandine: Je ne pouvais plus me focaliser sur autre chose. Je passais tout mon temps sur Instagram et Facebook. Je n'arrivais plus à me concentrer sur mon travail scolaire et je négligeais mes amis et ma famille. J'ai donc dû me séparer de mon téléphone portable. Malheureusement, beaucoup de gens comme moi, sont devenus accros aux réseaux sociaux et y passent la majorité de leur temps.

Arnaud: D'après ton expérience personnelle, quels ont été les aspects les plus négatifs des nouvelles technologies?

Amandine: Le pire pour moi, ça a été de perdre ma meilleure amie Caroline. Je l'ignorais sans me rendre compte et nous ne parlons plus ensemble maintenant. Il y avait aussi des disputes sans arrêt avec mes parents car je trouvais toujours une excuse pour ne pas sortir avec eux ou aider à la maison.

Arnaud: Est-ce que les nouvelles technologies te manquent aujourd'hui?

Amandine: Oui, de temps en temps. Ce que j'aimais le plus, c'est qu'elles facilitaient les recherches et me permettaient de faire les choses plus vite. J'utilisais toujours mon ordinateur pour faire mes devoirs, car grâce à internet j'avais accès à de nombreuses informations très rapidement, ce qui me faisait gagner du temps.

17. Find the French for the following expressions in the conversation:

a. *I couldn't focus anymore:*
J_ n_ p_____ p_____ m_ f_____

b. *I used to spend all my time on:*
J_ p_____ t___ m__ t_____ s____

c. *I couldn't concentrate anymore:*
J_ n'_____ p____ à m_ c_____

d. *I neglected my friends:*
J_ n_____ m__ a_____

e. *I had to get rid of my phone:*
J'__ d_ m_ s_____ d_ m__ t_____

f. *The worst for me:* L_ p_____ p____ m__

g. *It has been:* Ç_ a é___

h. *To lose my best friend:*
P_____ m_ m_____ a_____

i. *I ignored her without realising:*
J_ l'_____ s_____ m__ r_____ c____

j. *We don't talk together anymore:*
N___ n_ p_____ p____ e_____

k. *What I liked the most:*
C_ q__ j'_____ l_ p_____

18. Answer the questions in English

a. What negative effects did her addiction to her mobile phone have on her life? (4 details)

-

-

-

-

b. What is the worst thing that has happened to her as a result of being addicted to her phone?

c. Who did she constantly argue with at the time and why?

d. What does she miss now that she doesn't have internet access anymore?

19. Match up

De temps en temps	*I always used*
Faire les choses plus vite	*Nonstop*
J'utilisais toujours	*What I liked the most*
J'avais accès à	*My computer*
Sans arrêt	*To do things faster*
Ce que j'aimais le plus	*Thanks to internet*
Mon ordinateur	*From time to time*
Faire mes devoirs	*I had access to*
Très rapidement	*To save time*
Gagner du temps	*Very quickly*
Grâce à internet	*To do my homework*

20. Complete choosing the appropriate missing words from the options below

Le _____ pour moi, ça a été de _____ ma _____ amie Caroline. Je l'ignorais _____

me rendre _____ et nous ne _____ plus _____ maintenant. Il y _____ aussi des

_____ sans arrêt avec mes parents car je _____ toujours une excuse pour ne pas _____ avec

eux ou _____ à la maison.

compte	perdre	disputes	sans
avait	parlons	sortir	ensemble
meilleure	trouvais	aider	pire

---

21. Correct the spelling/grammar errors

a. Mon meilleure amie

b. Je ne pouvais plus me focuser

c. Nous ne parlon plus assemble

d. Faire les chozes plus veet

e. J'ai changed ma façon d'étudy

f. Je trouvay tousjours one excuse

g. Maleuresement, ca a ete difficile

h. Beacoup de gents comme mwa

i. Le peor pour moi

j. Il y avé aussie des disputes sans arret

---

22. Tangled translation

a. **These** appareils électroniques **had** transformé ma **life**

b. J'ai **always hated** les téléphones portables

c. J'ai longtemps **avoided** les **new** technologies

d. Je **am** très **quickly** devenue complètement **addicted**

e. **I have** toujours **loved** les **computers** portables

f. J'ai **often** été **against** les réseaux sociaux

g. **They** ont **simplified** la vie de **everyday**

h. **Yesterday**, ce que **I liked**, c'étaient les **games**

i. Elles ont **allowed** une **better mobility**

j. **I was** généralement **in favour** de ces **devices**

---

23. Translate the following two short paragraphs into French

a. Last year, unfortunately, I became completely addicted to new technologies and more particularly to social media. I was constantly on my mobile phone and I lost my best friend. There were also nonstop arguments with my parents. I had to totally stop using the internet.

b. At the beginning, I thought that new technologies only had positive sides. What I liked the most was that thanks to the internet I had access to ample information very quickly. It was practical and efficient, but I spent too much time on my mobile phone.

---

24. Answer the following questions to the best of your ability using the Sentence Builder from this unit and the conversation above for support. Then practice with a partner

a. Selon toi, quelle influence positive ont eu les nouvelles technologies sur notre société depuis leur naissance?

b. Donne des exemples de comment les nouvelles technologies ont amélioré ta vie quotidienne?

c. D'après ton expérience, quels en ont été les aspects négatifs?

d. Combien de temps as-tu passé sur internet hier?

e. Qu'est-ce que tu as fait?

f. C'était comment?

Key questions

Selon toi, quelle influence positive ont eu les nouvelles technologies sur notre société depuis leur naissance?	*According to you, what positive influence have new technologies had on our society since their birth?*
D'après ton expérience, quels ont été les aspects négatifs des nouvelles technologies?	*In your experience, what have been the negative aspects of new technologies?*
Donne des exemples de comment les nouvelles technologies ont amélioré ta vie quotidienne?	*Give some examples of how new technologies have improved your daily life?*
Étais-tu pour ou contre les nouvelles technologies au début? Et maintenant?	*Were you in favour or against new technologies at the beginning? And now?*

Unit 5. Music (present tense)

Dans mon temps libre, *In my free time,*	**j'aime aller au magasin de disques** *I like to go to the record store*	**avec mes amis** *with my friends*
Le week-end, *At the weekend,*	**j'écris des paroles de chansons** *I write song lyrics*	**avec ma petite amie** *with my girlfriend*
Pendant la semaine, *During the week,*	**je joue de la guitare / du piano** *I play the guitar / piano*	**avec ma sœur** *with my sister*
Quasiment tous les après-midis, *Almost every afternoon,*	**je partage des chansons** *I share songs*	**avec mon meilleur ami** *with my best friend*
Tous les vendredis soir, *Every Friday evening,*	**je vais à des concerts** *I go to concerts*	**avec mes camarades de classe** *with my classmates*

Ce que j'adore, *What I love,*	**c'est de découvrir de nouveaux groupes sur Spotify** *is to discover new bands on Spotify*	**après le collège** *after school*
Ce que j'aime, *What I like,*	**c'est de flâner en écoutant de la musique** *is to daydream while listening to music*	**avant de me coucher** *before going to bed*
Ce que je préfère, *What I prefer,*	**c'est de me détendre en écoutant du hip hop** *is to relax while listening to hip hop*	**pendant la soirée** *during the evening*
Ce qui me plaît le plus, *What I like the most,*	**c'est de répéter avec mon groupe** *is to rehearse with my band*	**tous les samedis** *every Saturday*

Ce que je déteste *What I hate* **Ce que je n'aime pas** *What I don't like* **Ce que je ne supporte pas** *What I can't stand* **Ce qui m'énerve le plus** *What annoys me the most* **Ce qui me plaît le moins** *What I like the least*	**c'est le son du saxophone, cela me fait mal aux oreilles** *is the sound of the saxophone, it hurts my ears* **c'est le métal/le rap car je trouve cela trop bruyant/violent/ennuyeux** *is metal/rap because I find this too noisy/violent/boring* **ce sont les chansons ringardes** *are cheesy songs* **ce sont les groupes trop commerciaux** *are bands that are too commercial* **ce sont les groupies hors de contrôle aux concerts** *are out of control groupies at concerts* **ce sont les stars d'un tube dont on n'entend plus jamais parler** *are one-hit wonders that you never hear about ever again*

1. Match up

La plupart du temps	During the evening
Pendant la semaine	What I can't stand
Ce que j'adore	Most of the time
Ce que je ne supporte pas	Before going to bed
Ce qui me plaît le moins	During the week
Ce qui me plaît le plus	What I like the most
Quasiment tous les jours	Every Saturday
Avant de me coucher	What I like the least
Pendant la soirée	Almost every day
Tous les samedis	What I love

2. Translate into English

a. Ce que j'adore, c'est de me détendre en écoutant mes chansons préférées

b. Pendant la semaine, je joue de la guitare avec mes copains

c. Je partage des chansons en ligne quasiment tous les après-midis

d. Je vais à des concerts quasiment tous les week-ends

e. De temps en temps, j'écris des paroles de chansons

f. Ce que je déteste, ce sont les chansons ringardes

g. Ce qui m'énerve le plus, ce sont les groupies hors de contrôle aux concerts

3. Choose the correct translation

	1	2	3
De nouveaux groupes	New groups	New friends	New bands
Hors de contrôle	Out of control	Controlling type	Out of sight
Le son	The son	The sound	The tone
Des chansons ringardes	Cool songs	Ringtones	Cheesy songs
Ce qui m'énerve	What annoys me	What I love	What I hate
Un tube	An instrument	A melody	A hit
Je trouve cela	I like this	I find this	I see this
Les paroles	The tunes	The lyrics	the sounds
Je partage	I share	I sell	I get

4. Gapped translation

a. Je _ _ _ _ du piano: *I play the piano*

b. Je partage des _ _ _ _ _ _ _ _ : *I share songs*

c. Je _ _ _ _ à des concerts: *I go to concerts*

d. Je joue de la _ _ _ _ _ _ _ : *I play the guitar*

e. La plupart du _ _ _ _ _ : *Most of the time*

f. J'_ _ _ _ _ des paroles de chansons: *I write lyrics*

g. _ _ _ _ commerciaux: *Too commercial*

h. _ _ _ _ de contrôle: *Out of control*

i. Les stars d'un _ _ _ _ : *One-hit wonders*

j. Ce qui m'_ _ _ _ _ _ : *What annoys me*

k. Ce _ _ _ j'adore: *What I love*

l. En écout _ _ _ : *While listening*

THE LANGUAGE GYM

5. Sentence puzzle

a. Ce je, c'est le du mal que son saxophone, cela me fait oreilles déteste aux
What I hate is the sound of the saxophone, it hurts my ears

b. la guitare semaine, je piano Pendant joue mes copains de la et du avec
During the week, I play the guitar and the piano with my friends

c. préfère, c'est de Ce que je en écoutant du hip hop détendre me
What I prefer is to relax while listening to hip hop

d. de la Le week-end, est musicien avec mon je joue père qui trompette
At the weekend, I play the trumpet with my father who is a musician

e. le métal, car que trouve cela trop violent Ce je n'aime pas, c'est je
What I don't like is heavy metal because I find this too violent

f. Ce que pas, ce sont je contrôle ne supporte les hors groupies et crient aux concerts qui pleurent de
What I can't stand are the out of control groupies who cry and scream at concerts

6. Split sentences: form logical sentences joining 1 & 2, then translate each sentence so obtained

1	2	English translation
J'écris des paroles	sur YouTube	
Je joue de	magasin de disques	
J'aime flâner en écoutant	des concerts	
Je partage des chansons	groupe	
Je vais à	de chansons	
J'aime répéter avec mon	violent	
Je trouve cela trop	du hip hop	
J'aime aller au	la batterie	

7. Anagrams

a. *Lyrics*: aroPles

b. *Guitar*: uiGtaer

c. *To daydream*: lâFner

d. *Commercial (pl masc)*: xCeormcumia

e. *To rehearse*: épRéter

f. *Drums*: attBerie

g. *Records*: isDsque

h. *Old*: ieVxu

i. *Songs*: anChsson

j. *Bands*: opGrues

8. Complete with the missing verbs

a. Le week-end, j'_____ des paroles de chansons

b. Ce que j'aime, c'est de _____ avec mon groupe

c. Pendant la semaine, j'aime _____ au magasin de musique

d. Tous les vendredis soir, je _____ à des concerts de jazz

e. Ce que je n'_____ pas du tout, ce sont les groupes trop commerciaux

f. Ce qui me plaît le plus, c'est de _____ de nouveaux groupes

g. Ce qui m'_____, ce sont les groupies hors de contrôle

h. Ce que j'adore, c'est de me _____ en écoutant du hip hop

écris	découvrir	énerve	vais
aime	répéter	aller	détendre

THE LANGUAGE GYM

9. Spot and supply the missing words. NOTE: there are two omissions per sentence

a. Pendant mon temps libre, j'aime aller magasin disques

b. Pendant semaine, je joue la guitare

c. Tous vendredis soir, je partage chansons en ligne

d. Ce je préfère, c'est me détendre en écoutant de la musique

e. Ce m'énerve le plus, c'est le son saxophone, cela me fait mal aux oreilles

f. Ce qui me plaît plus, c'est répéter avec mon groupe

g. Ce qui me plaît moins, ce sont les stars d'un tube dont n'entend plus jamais parler

h. Ce que je ne supporte pas, sont les groupies de contrôle aux concerts

---

10. Translate into French (phrase level)

a. *Most of the time*: L_ p_____ d_ t_____

b. *What I love*: C__ q____ j'_____

c. *What I like the least*: C_ q__ m_ p_____ l__ m_____

d. *With my classmates*: A____ m___ c_____

e. *Every Saturday*: T____ l_ s_____

f. *Out of control*: H____ d_ c_____

g. *It hurts my ears*: C___ m__ f__ m___ a__ o_____

h. *During the week*: P_____ l__ s_____

i. *Too commercial (pl)*: T____ c_____

j. *With my girlfriend*: A___ m_ p_____ a_____

k. *Too violent*: T_____ v_____

l. *New bands*: D__ n_____ g_____

m. *One-hit wonders*: L__ s_____ d'u_ t_____

n. *What I like*: C_ q___ m_ p_____

o. *Before going to bed*: A_____ d_ m_ c_____

p. *Song lyrics*: L__ p_____ d___ c_____

---

11. Translate into French (sentence level)

a. During the week, I play the guitar and the piano with my best friend

b. What I like the most is to relax listening to my favourite songs

c. Every Friday evening, I go to rock concerts with my girlfriend

d. What I hate is heavy metal because I find it too noisy and too violent

e. Nearly every afternoon, I like to go to the record store

f. What I like is to discover new bands on Spotify

g. Nearly every weekend I write song lyrics

h. What I can't stand are bands that are too commercial

i. What I prefer is to daydream while listening to hip hop songs

j. What I cannot stand is the sound of the saxophone

TEXT 1 - Luc

(1) La musique, c'est ma passion! Quasiment tous les après-midis, je joue de la guitare et j'écris des paroles de chansons avec mon meilleur ami. Nous avons un groupe de rock et nous sommes quatre : un guitariste, un bassiste, un batteur et une chanteuse. Nous faisons des reprises *[covers]* et nous avons aussi nos propres morceaux *[our own pieces of music]*.

(2) Ce qui me plaît le plus, c'est de répéter avec mon groupe tous les samedis. Nous faisons cela dans mon garage et heureusement mes voisins sont sympas et sont fans de rock, car on fait beaucoup de bruit dans le quartier! En général, nous jouons de deux heures jusqu'à cinq heures, mais parfois cela dure plus longtemps.

(3) Le week-end, j'aime aller au magasin de disques près de chez moi pour voir les nouveautés musicales du moment et découvrir de nouveaux groupes en vogue. De temps en temps, je vais aussi à des concerts avec mes amis. J'adore cela car il y a toujours une bonne ambiance et j'adore écouter de la musique en direct *[live music]*. Par contre, ce que je ne supporte pas, ce sont les groupies hors de contrôle aux concerts.

(4) Pendant la semaine, je partage souvent des chansons avec ma petite amie. C'est génial, car nous avons les mêmes goûts musicaux et d'ailleurs nous nous sommes rencontrés à un concert de Phoenix à Bordeaux il y a deux ans. Phoenix, c'est mon groupe préféré, j'aime vraiment leur style et ils m'inspirent pour composer ma propre musique.

12. Find the French equivalent in par. (1) and (2)

a. *Nearly*: Q

b. *Song lyrics*: P

c. *A band*: Un g

d. *A drummer*: Un b

e. *A singer*: Une C

f. *Covers*: Des r

g. *Pieces (of music)*: M

h. *What I like the most*: C

i. *To rehearse*: R

j. *Luckily*: H

k. *Noise*: B

13. Complete the translation of par. (3)

At the weekend, I like to go to the _____ _____ near _____ to see the music _____ of the moment and to _____ new _____ bands. From time to time, I _____ go to concerts with _____ _____. I love it because there is always a _____ _____ and I love to listen to _____ music. _____, what I cannot stand are the ____ ___ _____ _____ at concerts.

14. The sentences below were copied wrongly from the text above. Can you spot and correct the errors?

a. Ils m'inspirent pour composer ma proper music

b. Nous avons les mêmes gouts musicals

c. Ce que je ne support pas

d. Jadore écoute de la musique en direct

e. J'aime aller au magazine de disques

f. Je joue de le guitar

g. Phoenix, c'est mon groupe préfère

h. Il y a doux an

i. Je vais aussie a des concerts

j. Je partages souvant des chansons

15. Translate the following phrases from Luc's text

a. Ce que je ne supporte pas

b. C'est mon groupe préféré

c. Je partage souvent des chansons

d. Il y a toujours une bonne ambiance

e. Les nouveautés musicales

f. J'écris des paroles de chansons

g. Nous avons les mêmes goûts musicaux

h. Ils m'inspirent pour composer ma propre musique

i. On fait beaucoup de bruit

TEXT 2 - Marion

(1) La musique pour moi, c'est très important. Il ne se passe pas une seule journée sans que j'écoute ou joue de la musique. Cela fait vraiment partie de ma vie quotidienne et ce que j'adore, c'est de me détendre en écoutant du reggae dans ma chambre après le collège. J'aime le reggae, car c'est un genre de musique calme et je trouve cela reposant.

(2) Pendant la semaine, je joue du piano tous les jours. Je joue du piano depuis que j'ai cinq ans et je voudrais bien devenir musicienne professionnelle plus tard, car c'est ma passion. Je joue dans un groupe de jazz et aussi dans l'orchestre de mon collège. Ce qui me plaît le plus, c'est de répéter avec mon groupe le dimanche. Nous avons nos propres chansons et nous jouons régulièrement pour des évènements locaux.

(3) La plupart du temps, j'écris les paroles et je compose les mélodies de nos chansons. J'adore ça, car c'est créatif et passionnant à mon avis. Dans mon groupe, nous sommes cinq: une violoniste, un trompettiste, un joueur de contrebasse, une batteuse et puis moi au piano et au chant. Tous les vendredis soir, je vais à des concerts avec mes amis et parfois avec mon petit ami aussi.

(4) J'aime la plupart des genres musicaux, mais en revanche, ce qui m'énerve le plus ce sont les groupes trop commerciaux qui passent constamment à la radio et les stars d'un tube dont on entend plus jamais parler après. Je préfère les groupes plus indépendants qui sont vraiment passionnés par la musique, pas seulement l'argent.

16. Find the French equivalent of the phrases below in Marion's text (paragraphs in brackets)

a. I play in a jazz band (2)

b. For me, it is very important (1)

c. I write the lyrics (3)

d. Since I was five years old (2)

e. There is no day that goes by (1)

f. We have our own songs (2)

g. What I like the most (2)

h. Most of the time (3)

i. I would like to become (2)

j. There are five of us (3)

k. I like most musical genres (4)

17. True, False or Not mentioned?

a. Marion plays many musical instruments

b. Her band doesn't create their own songs yet

c. There isn't a drummer in their band

d. She can't stand one-hit wonders who are easily forgotten

e. Her boyfriend writes their songs' lyrics

f. She prefers commercial bands

g. They have played a concert in a big stadium

h. She plays in her school's jazz band

i. She shares music videos on YouTube

18. Translate the following sentences taken from the text above into English

a. J'aime la plupart des genres musicaux

b. Un joueur de contrebasse

c. Qui sont vraiment passionnés

d. La plupart du temps

e. Nous avons nos propres chansons

f. Je voudrais bien devenir musicienne

g. Qui passent constamment à la radio

h. Les groupes très commerciaux

i. Je trouve cela reposant

j. Sans que je joue ou écoute de la musique

k. Les stars d'un tube

l. Cela fait vraiment partie de ma vie quotidienne

THE LANGUAGE GYM

19. Complete with the missing words choosing from the options provided below

Le week-end, j'aime aller au magasin de _____ près de chez moi pour voir les nouveautés musicales du moment et _____ de nouveaux groupes en vogue. De temps en temps, je vais aussi à des _____ avec mes amis. J'adore cela car il y a toujours une bonne _____ et j'adore écouter de la musique en _____ . Par contre, ce que je ne supporte pas, ce sont les _____ hors de contrôle aux concerts. J'aime la plupart des _____ musicaux, mais en revanche, ce qui m'énerve le _____ ce sont les groupes trop commerciaux qui _____ constamment à la radio et les stars d'un tube dont on n'entend plus jamais parler _____ .

passent	disques	direct	groupies	plus
après	genres	découvrir	concerts	ambiance

20. Select the correct sentence between the 2 below and explain why the other one is incorrect

1	2
Je joue du piano depuis que j'ai cinq ans	Je joue au piano depuis que j'ai cinq ans
Je voudrais devenir musicienne professionnelle	Je voudrais devenir musicienne professionnel
Ce qui me plaît, c'est de répéter avec mon groupe	Ce que me plaît, c'est de répéter avec mon groupe
J'aime reggae, car c'est un genre de musique calme	J'aime le reggae, car c'est un genre de musique calme
Je partage des chansons avec ma petite amie	Je partage chansons avec ma petite amie
Ce qui je préfère, c'est de jouer de la guitare	Ce que je préfère, c'est de jouer de la guitare

21. Broken words

a. Les chansons ring_ _ _ _ _ : *Cheesy songs*

b. Les genres music_ _ _ : *Musical genres*

c. Musici_ _ _ _: *Female musician*

d. Je part_ _ _ : *I share*

e. Ce qui me pl_ _ _ : *What I like*

f. Des groupies h_ _ _ de contrôle: *Out of control groupies*

g. Repos_ _ _ : *Restful*

h. Un magasin de dis_ _ _ _ : *A record store*

i. Je joue de la tromp_ _ _ _ : *I play the trumpet*

j. Un jou_ _ _ de contrebasse: *A double bass player*

k. Sel_ _ moi: *According to me*

l. La plu_ _ _ _: *Most*

22. Complete with an appropriate word

a. Je vais ___ des concerts de rock tous les samedis

b. Je voudrais _____ musicienne

c. Je joue ____ piano et de _____ guitare

d. Ce _____ j'aime, c'est d'écouter du hip hop

e. Ce ____ me plaît, c'est de flâner en écoutant de la musique classique

f. Je ne _____ pas le son du saxophone

g. Je trouve la musique pop _____

h. Je n'aime pas les chansons _____

i. J'aime aller au _____ de disques

j. Ce que je préfère, c'est de _____ du violon

k. Je me détends en _____ de la musique

23. Translate into English

a. Je joue de la trompette

b. J'écris des paroles de chansons

c. Ce que je n'aime pas

d. Avant de me coucher

e. Tous les samedis

f. J'aime aller

g. Ce qui me plaît le plus

h. Ce qui me plaît le moins

i. Pendant la soirée

j. Découvrir de nouveaux groupes

k. En écoutant du reggae

l. Cela me fait mal aux oreilles

m. Les groupes qui sont trop commerciaux

n. Les stars d'un tube

o. Je partage des chansons

p. Ce que je déteste

---

24. Translate the paragraph below, using the chunks in the table on the right-hand side

I love musique! I play the guitar and the piano very often. I also play the trumpet and the drums.

Every day, what I like the most is to daydream listening to rock music. I also enjoy rehearsing with my band. I write the lyrics of our songs.

During the week, I often share music videos and songs that I find on Spotify with my girlfriend. She loves music too.

Tristan

J'adore la musique!	Je joue aussi	de la trompette
ce qui me plaît le plus	et du piano	très souvent.
Je joue de la guitare	du rock.	en écoutant
Tous les jours,	répéter avec mon groupe.	je partage souvent
les paroles	Pendant la semaine,	et de la batterie.
c'est de flâner	et des chansons	des vidéos de musique
J'écris	J'aime aussi	que je trouve sur Spotify
avec ma copine.	Elle aussi adore la musique.	de nos chansons.

---

25. Translate into French

a. Most of the time

b. What I prefer

c. I play the trumpet

d. I share songs

e. I go to concerts

f. Out of control groupies

g. One-hit wonders

h. Before going to bed

i. The sound of the drums hurts my ears

j. What I love is to daydream while listening to music

k. The bands which are too commercial

l. I love to relax while listening to classical music

m. What I like the most is to rehearse with my band

n. What I don't like is heavy metal

o. What I cannot stand are cheesy songs

p. What I love is to discover new bands on Spotify

THE LANGUAGE GYM

26. Translate the following sentences into French

- I love music. It is part of my daily life, much more than social media and the internet.

- After school, I love to relax listening to rock music or classical music. Every day, I also like discovering new bands on Spotify and sharing music videos with my friends on Facebook.

- I also play the guitar, the piano, the saxophone and the drums. What I prefer is the guitar.

- I have a band with my boyfriend and two classmates. We play rock music. My boyfriend writes the music and I write the lyrics of our songs. I love rehearsing with my band!

- I prefer independent bands and I can't stand commercial bands and one-hit wonders that you never hear about ever again.

- I often go to concerts, on my own or with my boyfriend. There is always a good atmosphere. What I don't like are the out of control groupies who scream and cry at concerts. I find this very annoying!

27. Write a 140 word composition in which you include the following points

- What type of music you like listening to and why

- What type of music you dislike and why

- What you like to do related to music in your free time

- What instrument you play and who with (if you don't play an instrument, please make it up or say which instrument you would like to play and why)

- What concerts you like going to and who with

Key questions

Aimes-tu écouter de la musique? Pourquoi?	*Do you like listening to music? Why?*
Quel est ton genre de musique préféré?	*What is your favourite music genre?*
Tu préfères écouter de la musique à la maison ou aller à des concerts? Pourquoi?	*Do you prefer listening to music at home or to go to concerts? Why?*
Est-ce que tu joues d'un instrument? Si oui, lequel?	*Do you play an instrument? If yes, which one?*
Est-ce que la musique est importante pour toi? Explique?	*Is music important to you? Explain?*
Quand écoutes-tu généralement de la musique?	*When do you generally listen to music?*
Avec qui aimes-tu partager de la musique et pourquoi?	*Who do you like sharing music with? Why?*
Quel est le genre de musique que tu aimes le moins et pour quelle raison?	*What is the music genre you like the least and for what reason?*

Unit 5. Music (past tense)

Avant-hier, *The day before yesterday,*	**je suis allé(e) au magasin de disques** *I went to the record store*	**avec ma petite amie** *with my girlfriend*
Hier après-midi, *Yesterday afternoon,*	**j'ai écrit des paroles de chansons** *I wrote song lyrics*	**avec ma sœur** *with my sister*
La semaine dernière, *Last week,*	**j'ai joué de la guitare** *I played the guitar*	**avec mes amis** *with my friends*
Le week-end dernier, *Last weekend,*	**j'ai partagé des chansons** *I shared songs*	**avec mes camarades de classe** *with my classmates*
Vendredi dernier, *Last Friday,*	**je suis allé(e) à un concert** *I went to a concert*	**avec mon meilleur ami** *with my best friend*

Ce que j'ai adoré, *What I loved,*	**c'était de découvrir de nouveaux groupes sur Spotify** *was to discover new bands on spotify*	**après mes devoirs** *after my homework*
Ce que j'ai aimé, *What I liked,*	**c'était de flâner en écoutant de la musique** *was to daydream while listening to music*	**avant de dormir** *before going to sleep*
Ce que j'ai préféré, *What I preferred,*	**c'était de me détendre en écoutant du hip hop** *was to relax while listening to hip hop*	**pendant la journée** *during the day*
Ce qui m'a plu le plus, *What I liked the most,*	**c'était de répéter avec mon groupe** *was to rehearse with my band*	**tous les dimanches** *every Sunday*

Ce que j'ai détesté, *What I hated,*	**c'était le son du saxophone, cela m'a fait mal aux oreilles** *was the sound of the saxophone, it hurt my ears*
Ce que je n'ai pas aimé, *What I didn't like,*	**c'était le métal car j'ai trouvé cela trop violent** *was metal because I found this too violent*
Ce que je n'ai pas supporté, *What I couldn't stand,*	**c'étaient les groupes trop commerciaux** *were bands that are too commercial*
Ce qui m'a énervé le plus, *What annoyed me the most,*	**c'étaient les groupies hors de contrôle au concert** *were out of control groupies at the concert*
Ce qui m'a plu le moins, *What I liked the least,*	**c'étaient les stars d'un tube dont on entend plus jamais parler** *were one-hit wonders that you never hear about ever again*

THE LANGUAGE GYM

1. Phrase puzzle

a. semaine La dernière: *Last week*

b. midi après Hier: *Yesterday afternoon*

c. allé(e) Je au suis magasin: *I went to the shop*

d. paroles J'ai des écrit: *I wrote some lyrics*

e. partagé J'ai chansons des: *I shared songs*

f. concert Je allé(e) à un suis: *I went to a concert*

g. que Ce adoré j'ai: *What I loved*

h. préféré que Ce j'ai: *What I preferred*

i. Ce détesté j'ai que: *What I hated*

j. aimé Ce je n'ai que pas: *What I didn't like*

2. Complete

a. _____ de dormir: *Before going to sleep*

b. _____ mes devoirs: *After my homework*

c. Tous les _____ : *Every Sunday*

d. _____ la journée: *During the day*

e. _____ mon _____ ami: *With my best friend*

f. Avec mes _____ de classe: *With my classmates*

g. _____ avec mon _____: *To rehearse with my band*

h. _____ de contrôle: *Out of control*

i. Les _____ d'un _____ : *One-hit wonders*

j. Le _____ du saxophone: *The sound of the saxophone*

3. Turn the following verbs and expressions in the perfect tense and then translate in English

Present	Perfect tense	Translation in English
J'aime		
Je préfère		
Je déteste		
Je n'aime pas		
Je ne supporte pas		
Ce qui me plaît		
Ce qui m'énerve		
Je trouve		
Je partage		
Je vais		

4. Likely or Unlikely?

a. J'ai partagé une chanson

b. Cela m'a fait mal aux dimanches

c. J'ai écrit des amis

d. J'ai joué du piano

e. Les stars d'un vendredi

f. En écoutant du magasin

g. Dimanche dernier

h. J'ai trouvé des amis

i. Avec mes sœurs de classe

j. Les groupies hors de journée

k. Je suis allé(e) à un concert

l. J'ai partagé des oreilles

5. Circle the correct verb for each sentence

a. J'ai **partagé/joué/écrit** de la guitare

b. J'ai **trouvé/préféré/supporté** me détendre en écoutant du hip hop

c. J'ai **détesté/adoré/aimé** le concert, c'était nul!

d. Ce qui m'a **plu/partagé/écrit** le moins

e. Ce que j'ai **allé/énervé/préféré,** c'était de flâner en écoutant du jazz

f. Je suis **allé/joué/écrit** à un concert, c'était génial!

6. Correct the spelling errors

a. Tro komercio

b. Pandent la journey

c. Avon de dormir

d. Or de control

e. Flaneur avec mons amigos

f. Jay troove sela

THE LANGUAGE GYM

Conversation entre amis (Première partie)

Julien: Salut Marion! Parle-moi de la dernière fois que tu es allée à un concert?

Marion: Bonjour Julien. La dernière fois que je suis allée à un concert c'était vendredi dernier. J'ai été à la Fête de la Musique à Toulouse pour fêter le début de l'été.

Julien: C'était comment?

Marion: C'était vraiment génial! Il y avait de la musique partout: dans les bars, les rues, les salles de spectacles et sur la place principale. En plus, il faisait très beau et tout était gratuit!

Julien: Avec qui y es-tu allée?

Marion: J'y suis allée avec ma meilleure amie Camille, ma cousine Léa et mon petit ami.

Julien: Quel est le groupe que tu as aimé le plus et pour quelle raison?

Marion: Le groupe que j'ai préféré, c'était un groupe local qui s'appelle Bigflo & Oli. Ce sont deux frères originaires de Toulouse qui font du hip hop et qui chantent en français.

7. Find the French for the following words or expressions

a. Tell me about:

b. The last time:

c. I have been:

d. How was it?

e. There was:

f. Everywhere:

g. The streets:

h. Shows:

i. Free of charge:

j. The weather was very good:

k. My boyfriend:

l. To celebrate:

m. Two brothers:

n. Native of:

o. A local band:

8. Answer the questions in English

a. Which season starts on the same day as "La Fête de la Musique"?

b. How was it?

c. What was the weather like?

d. How much did they have to pay to get in?

e. Where were the bands playing? (4 details)

f. Who did Marion go with?

g. What was her favourite band?

h. What does she mention about that band? (4 details)

9. Complete the translation from the second and third answers

It _____ really _____ ! There _____ music _____ : in bars, in the _____ , in the auditoriums and on the _____ _____ .

In _____ , the weather was very _____ and everything was _____ !

The _____ that I preferred was a _____ band called Bigflo & Oli. They are two brothers _____ of Toulouse who _____ hip hop music and who _____ in _____ .

10. Sentence puzzle

a. La concert fois je suis dernière allée à que un: *The last time I went to a concert*

b. j'ai au magasin Hier, de été disques avec frère mon: *Yesterday, I was at the record store with my brother*

c. Il était très beau faisait gratuit et tout: *The weather was very good and everything was free*

d. suis avec cousine ma J'y meilleure amie allée et ma: *I went there with my best friend and my cousin*

11. Translate in English

a. Il y avait de la musique partout:

b. Le groupe a joué sur la place principale:

c. Ce que j'ai préféré, c'était le groupe de hip hop:

d. Ce que je n'ai pas supporté, c'était le bruit:

e. Il faisait beau et chaud. C'était génial:

f. Pour fêter le début de l'été:

g. J'ai partagé des chansons avec mon meilleur ami:

h. La semaine dernière, j'ai écrit des paroles de chansons:

i. Ce que je n'ai pas aimé c'était le métal car c'était trop violent:

j. Ce que j'ai aimé, c'était de me détendre en écoutant du hip hop:

k. Pendant la journée, j'ai adoré flâner dans les rues:

l. Samedi dernier, j'ai vraiment aimé répéter avec mon groupe:

12. Add the missing accents

a. J'ai ete en ville pour flaner

b. Ce que j'ai aime, c'était le rock

c. Ce que j'ai deteste, c'etait le rap

d. J'ai trouve cela hors de controle

e. Ce qui m'a enerve le plus

f. La derniere fois que je suis alle

g. J'y suis alle avec mon frere

h. Pour feter le debut de l'ete

i. Hier apres-midi, j'ai joue du piano

j. J'ai repete avec mon groupe

k. Ce que j'ai prefere

l. J'ai ecrit des paroles

13. Categories: sort the items below in the right column

Mon frère	Au concert	Avant-hier	Mes amis
Dans la rue	Sur la place	En ville	En été
Nul	Mes parents	Ennuyeux	Ma sœur
Samedi	À Toulouse	Génial	Divertissant

Qui?	Où?	Quand?	Comment?

14. Positive or negative

a. C'était vraiment génial

b. Je n'ai pas aimé du tout

c. Ce que j'ai préféré

d. Ce que je n'ai pas supporté

e. Ce que j'ai détesté

f. J'ai trouvé cela violent

g. C'était très divertissant

h. J'ai adoré me détendre

i. Il y avait trop de bruit

j. Malheureusement, c'était ennuyeux

k. C'était fabuleux à mon avis

15. Match questions and answers

Où es-tu allé le week-end dernier?	J'ai vraiment adoré, il y avait une super ambiance
C'était comment?	Je suis arrivé chez moi vers minuit et demi
Avec qui es-tu sorti?	Je suis allé à un concert en ville samedi soir
Tu es rentré à quelle heure?	J'étais avec mon meilleur ami et mon frère

Conversation entre amis (Deuxième partie)

Julien: Est-ce que tu as déjà essayé de jouer d'un instrument de musique? Si oui, lequel?

Marion: J'ai commencé à jouer du piano quand j'avais cinq ans. Je voudrais devenir musicienne professionnelle un jour. Cela a toujours été ma passion et mon rêve aussi.

Julien: Est-ce que tu as déjà toi-même eu un groupe?

Marion: Oui, j'ai eu trois groupes en tout. Un de rock, l'orchestre du collège et je joue maintenant dans un groupe de jazz.

Julien: Vous avez déjà joué en public?

Marion: Oui. Le mois dernier, nous avons joué pour la première fois dans un festival de jazz. Ce qui m'a plu le plus, c'était l'ambiance car il y avait beaucoup de monde. Nous avons joué nos propres chansons et je crois que le public a apprécié notre musique. Nous avons vendu quelques disques à la fin du concert, ce qui est bon signe!

Julien: Qui écrit la musique et les paroles dans ton groupe?

Marion: Ça dépend. Nous contribuons tous en général. Avant-hier, j'ai écrit une nouvelle chanson et j'ai aussi composé la mélodie tout de suite. J'ai adoré jouer la chanson pour la première fois devant mon petit ami et il a beaucoup aimé donc j'étais contente.

16. Answer the questions in English

a. How old was Marion when she started playing the piano?

b. What job would she like to do?

c. What's the word for "dream" in the conversation?

d. What happened last month?

e. What did she like the most at the jazz festival and why?

f. How does she know the public liked their music?

g. Who writes the music and the lyrics in her band?

h. When did she write her latest song?

i. Who did she play the tune to for the first time?

j. What is the contrary of "devant" in French?

k. How would you translate the expression "tout de suite" in English?

17. Split sentences

Nous avons vendu	c'était l'ambiance
Ce qui m'a plu le plus,	est bon signe
J'ai déjà joué	joué nos propres chansons
Qui écrit la musique	la mélodie
Il y avait	quelques disques
Ce qui	beaucoup de monde
J'ai aussi composé	en public trois fois
Nous avons	et les paroles?
Je crois que	ma passion
Cela a toujours été	le public a apprécié

18. Translate into French

a. It depends:

b. I wrote a new song:

c. We played for the first time:

d. There were a lot of people:

e. I played in public three times:

f. At the end of the concert:

g. There was a good atmosphere:

h. It has always been my dream:

i. I started to play the piano:

j. I also composed the melody straight away:

k. I have had two bands in total:

19. Complete the following sentences with appropriate words

a. J'ai écrit des paroles de _____

b. Ce que j'ai détesté, c'était le _____

c. Ce qui m'a plu le plus, c'était de _____

d. Hier, j'ai joué de la _____

e. Samedi dernier, je suis allé(e) à un _____

f. Ce qui m'a _____ le plus, c'était le bruit

g. Ce qui m'a _____ le moins, c'était le métal

h. La semaine _____, j'ai partagé des chansons

i. Pendant la _____, j'ai écouté du hip hop

j. Après mes _____, j'ai joué du _____

20. Tangled translation

a. J'ai partagé des **songs** avec mon **best** ami

b. **We** avons **sold** quelques **disks** à la **end**

c. J'ai **written** les **lyrics** et la **melody**

d. **Yes**, j'ai **had** trois groupes **in total**

e. Ce que **I couldn't stand**, c'était le **noise**

f. **Before** de **sleep**, j'ai **listened** de la **music**

g. **I have** beaucoup **liked** le concert. **It was** génial!

h. J'ai **started** à jouer du piano **three years ago**

i. **Last month** nous avons **played** en public **for the first time**. C'était excitant **and** terrifiant à la fois.

j. Je **believe** que le public a **appreciated our** son

21. Translate the following paragraphs into French

The last time I went to a concert was last Saturday. I went to town with my best friend and my sister and we listened to a rock band at the local auditorium. It was great! What I liked the most was the atmosphere because there were a lot of people. After the concert, I bought a tee shirt and a record.

Last weekend, what I preferred was to rehearse with my band. We played our own songs. Recently, I wrote some lyrics and new melodies and we tried them for the first time. It was exciting!

I started playing the guitar when I was five and I had my first band when I was twelve. Now, I play for the school orchestra and also in a rock band. I have always liked playing music and I would like to become a professional musician one day.

Last week, I went to the record store near my house with my friends. I discovered some new bands and I bought two records. After, I played the piano at home and then I listened to Spotify before going to sleep.

Yesterday, what I liked the most was to daydream while listening to hip hop after my homework. In the evening, I shared some songs with my best friend before going to sleep. It was great!

22. Correct the spelling errors

a. J'ai aime flaner en écoutant de la music

b. Ce que jay adoré, c'été de me detender

c. Les stars dun toob don't on n'entend plus parler

d. J'ai éscrit des parols de cansions

e. Cella ma fait malade aux oreilles

f. J'ai trouve cela bocoup trop violence

g. Il y avé de la music partoute

23. Answer the following questions to the best of your ability using the Sentence Builder from this unit and the conversation above for support. Then practice with a partner

a. Parle-moi de la dernière fois que tu es allé(e) à un concert? C'était comment? Avec qui y es-tu allé(e)?

b. Qu'est-ce que tu as écouté comme musique à la maison hier soir? C'était comment?

c. Est-ce que tu as déjà essayé de jouer d'un instrument de musique? Si oui, lequel?

d. Est-ce que tu as déjà joué dans un groupe? Si oui, quel genre de musique?

e. Quel est le groupe que tu as aimé le plus cette année et pour quelle raison?

THE LANGUAGE GYM

Parle-moi de la dernière fois que tu es allé(e) à un concert? C'était comment? Avec qui es-tu allé(e)?	*Tell me about the last time you went to a concert? How was it? Who did you go with?*
Quel était ton genre de musique préféré quand tu étais plus jeune?	*What was your favourite music genre when you were younger?*
Qu'est-ce que tu as écouté comme musique à la maison hier soir?	*What music did you listen to at home yesterday evening?*
Est-ce que tu as déjà joué dans un groupe? Si oui, c'était comment?	*Have you ever played in a band? If yes, how was it?*
Quand as-tu acheté de la musique pour la dernière fois?	*When was the last time you bought some music?*
Avec qui as-tu écouté de la musique le week-end dernier? C'était où?	*Who did you listen to music with last weekend? Where was it?*
Quel est le groupe que tu as aimé le plus cette année et pour quelle raison?	*What is the band you have liked the most this year and for what reason?*

Unit 6. Cinema and television (present tense)

D'habitude *Usually*	**elle ne regarde pas de** *she doesn't watch*	**comédies** *comedies*
En général *In general*	**il ne regarde que des** *he only watches*	**feuilletons** *soap operas*
Généralement *Generally*	**je ne regarde jamais de** *I never watch*	**films** *films*
Normalement *Normally*	**nous ne regardons plus de** *we don't watch anymore*	**séries** *series*

Mon émission préférée *My favourite programme*	**passe une fois par semaine** *is on once a week*	**à cinq heures** *at five o'clock*
Ma série favorite *My favourite series*	**passe tous les soirs** *is on every evening*	**à trois heures et quart** *at quarter past three*
Le jeu télévisé que j'aime le plus *The game show that I like the most*	**passe tous les après-midis** *is on every afternoon*	**à huit heures et demie** *at half past eight*

J'adore regarder *I love watching*	**des documentaires** *documentaries*	**car à mon avis c'est** *because in my opinion it's*	**éducatif** *educational*
		car je pense que c'est *because I think it's*	**intéressant** *interesting*
J'aime beaucoup regarder *I like a lot watching*	**des films d'action** *action films*		**passionnants** *exciting*
Je préfère regarder *I prefer watching*	**de vieux films** *old films*	**car je les trouve** *because I find them*	**prenants** *gripping*

Je déteste par-dessus tout *I hate above all*	**les émissions de téléréalité** *reality TV programmes*	**car c'est** *because it's*	**ennuyeux** *boring*
J'évite de regarder *I avoid watching*	**les films romantiques** *romantic films*		**bête** *stupid*
Je n'aime pas du tout *I don't like at all*	**les publicités** *adverts*	**car je trouve que c'est** *because I find that it's*	**une perte de temps** *a waste of time*

Je ne manque jamais *I never miss*	**un épisode** *an episode*	**de ma série préférée** *of my favourite series*
		de mon feuilleton préféré *of my favourite soap opera*

À mon avis *In my opinion*	**les dessins animés** *cartoons*	**sont** *are*	**aussi** *as*	**comiques** *comical*	**les émissions de sport** *sports programmes*
	les documentaires		**moins** *less*	**divertissants** *entertaining*	**que** *than* or '*as*' with *aussi*	**les informations** *the news*
Je crois que *I believe that*	**les feuilletons**			**dramatiques** *dramatic*		**le journal télévisé** *the news bulletin*
Selon moi *According to me*	**les films**		**plus** *more*			**les téléfilms** *TV films*
	les jeux télévisés			**drôles** *funny*		

1. Choose the correct translation

	1	2	3
Les feuilletons	Game shows	Films	Soap operas
Les jeux télévisés	The news	Game shows	Cartoons
Les vieux films	Old films	New films	Horror films
Prenant	Gripping	Taking	Hilarious
Passionnant	Boring	Exciting	Stupid
J'évite	I like	I believe	I avoid
Une perte de temps	A great time	A waste of time	Bad weather
Les émissions	Adverts	The programmes	Documentaries
Les informations	The news	Cartoons	Series
Par-dessus tout	Once for all	Not at all	Above all

2. Match up

Prenant	Entertaining
D'habitude	Gripping
Divertissant	Funny
Drôle	A waste of time
Un feuilleton	A game show
Je pense	Usually
Une perte de temps	A programme
Une émission	I think
Un jeu télévisé	A soap opera/Drama
Tous les soirs	Exciting
Passionnant	According to me
Selon moi	Every evening

3. Complete with the correct option from the ones provided below

a. Le _____ télévisé que j'aime le plus

b. J'aime beaucoup _____ des films d'action

c. J'_____ de regarder des films d'horreur

d. À mon avis, les films sont _____ divertissants que les séries

e. Je déteste les _____ de téléréalité

f. Mon émission préférée _____ tous les soirs

g. Je _____ que les feuilletons sont ennuyeux

h. Les feuilletons sont une _____ de temps

évite	jeu	passe	crois
émissions	regarder	moins	perte

4. Translate into English

a. Il ne regarde jamais

b. Mon émission préférée

c. C'est passionnant

d. Je regarde de vieux films

e. Je n'aime pas du tout

f. J'évite de regarder

g. Je pense que c'est prenant

h. Je ne regarde que des dessins animés

i. Je ne manque jamais un épisode de CSI

j. Selon moi, les feuilletons sont une perte de temps

k. Cette comédie est très drôle

l. Je trouve les films d'horreur ridicules

THE LANGUAGE GYM

5. Sentence puzzle

a. Ma favorite série demie tous les soirs à huit passe heures et
   My favourite series is on every night a eight thirty

b. que regarder les films romantiques J'évite de car je c'est ennuyeux trouve
   I avoid watching romantic movies because I find that it is boring

c. déteste les temps émissions c'est une de par-dessus tout téléréalité Je car perte de
   I hate above all tv reality programmes because it's a waste of time

d. avis les dessins sont plus animés comédies beaucoup À mon que les drôles
   In my opinion cartoons are much funnier than comedies

e. Le jeu après-midis le plus tous télévisé les à cinq heures que j'aime passe
   The game show I like the most is on every afternoon at five

f. regarder passionnants de vieux Je préfère films car trouve je les
   I prefer watching old movies because I find them exciting

g. les d'Hollywood sont plus intéressants documentaires que les films Selon moi,
   According to me, documentaries are more interesting than Hollywood movies

6. Spot and supply the ONE missing word in each sentence

a. Mon émission préférée passe une fois semaine à cinq heures

b. J'adore regarder des documentaires car les trouve intéressants et éducatifs

c. J'évite regarder les publicités car je les trouve bêtes

d. Le jeu télévisé j'aime le plus passe une fois par semaine

e. J'aime beaucoup regarder des films action parce que je les trouve passionnants

f. Je manque jamais un épisode de ma série préférée

g. Je crois les documentaires sont moins drôles que les dessins animés

h. Selon moi, les films d'horreur plus divertissants que les informations

7. Anagrams

a. *Usually*: udeD'abith

b. *Educational*: duÉtifca

c. *Adverts*: téPliubcis

d. *Soap operas*: euillsonFte

e. *Exciting*: aantsPionns

f. *Documentaries*: menDuocitarse

g. *Programme*: miÉiossn

h. *Never*: maiJas

i. *Gripping*: anPretn

8. Complete as appropriate

a. Mon feuilleton préféré _____ tous les soirs

b. Je _____ regarder des films d'action

c. Je crois _____ les documentaires sont très intéressants

d. À mon avis, les dessins animés sont moins éducatifs que les

   _____

e. Je ne _____ jamais un épisode de ma série préférée

f. Ce que j'aime le plus, ce sont les _____

g. En général mon frère ne regarde _____ des dessins animés

h. Je trouve les films romantiques _____

9. Complete the words

a. *Soap opera*: Feuill_ _ _ _

b. *Programme*: Émis_ _ _ _

c. *Exciting*: Passio_ _ _ _ _

d. *Normally*: Normal_ _ _ _ _

e. *Funny*: D_ _ _ _

f. *Game*: J_ _

g. *Never*: J_ _ _ _ _

h. *Documentaries*: Docum_ _ _ _ _ _ _ _

i. *Time*: T_ _ _ _

j. *Entertaining*: D_ _ _ _ _ _ _ _ _ _

10. Guided translation

a. *My favourite programme*: M_ _ é_ _ _ _ _ _ _ _ p_ _ _ _ _ _ _ _

b. *The game show*: L_ j_ _ _ _ t_ _ _ _ _ _ _ _ _

c. *In my opinion*: À m_ _ _ a_ _ _ _ _ _

d. *I don't like at all*: J_ n'a_ _ _ _ _ _ p_ _ _ d_ _ t_ _ _ _

e. *Less funny*: M_ _ _ d_ _ _ _ _ _

f. *More educational*: P_ _ _ _ é_ _ _ _ _ _ _ _

g. *I never miss*: J_ _ n_ _ _ m_ _ _ _ _ _ j_ _ _ _ _ _ _

h. *Above all*: P_ _ _ d_ _ _ _ _ _ t_ _ _ _

11. Tangled translation

a. Pendant mon **time** libre je **spend** beaucoup **of** temps devant la **TV**

b. Je déteste **above all** les émissions de **reality TV because** je les trouve **stupid**

c. **My favourite** émission **is on** une fois par semaine **at eight thirty**

d. **In my opinion**, les dessins animés sont **more entertaining** que les informations

e. **My father** regarde **the news** tous les soirs

f. Mon **brother** ne **watches** que des comédies

g. **I never miss** un épisode de **my favourite series**

12. Correct the spelling errors

a. Je trove: *I find*

b. Les emissions: *The programmes*

c. Le joue televise: *The game show*

d. Passionant: *Exciting*

e. Je ne manc jamais: *I never miss*

f. Pregnant: *Gripping*

g. Selon moins: *According to me*

h. Par dessous tout: *Above all*

13. Translate into French

a. In my free time, I spend a lot of time in front of the television

b. I spend on average five hours a day watching cartoons, series and tv shows

c. My favourite TV show is on once a week at five thirty on Thursdays

d. My favourite series is on in the evening, at quarter past nine on Fridays

e. I also love watching action films, above all martial art movies because I find them exciting and funny

f. I hate above all reality TV shows because they are repetitive and stupid

g. I never miss an episode of my favourite programmes

h. My father always watches the news

i. He says that the news are more entertaining than the cartoons and series that I watch

THE LANGUAGE GYM

TEXT 1 - Louis

(1) Pendant la semaine, en général je regarde un peu la télévision tous les jours. Normalement, je ne regarde jamais de feuilletons car je trouve cela ennuyeux et stupide. Par contre, j'adore regarder des documentaires, car à mon avis c'est éducatif et passionnant et j'apprends beaucoup de nouvelles choses. Par ailleurs, j'adore regarder des films d'action car c'est prenant et c'est mon genre de film préféré.

(2) Ma sœur jumelle, quant à elle, *[as for her]* ne regarde que des séries. Elle est abonnée à *[has a subscription to]* Netflix et elle passe la plupart de son temps libre devant son écran de télévision. Elle passe en moyenne quatre heures par jour à regarder la télévision, ce qui est trop selon moi. Mes parents ne sont pas contents du tout et elle se fait souvent gronder à cause de cela.

(3) Mon émission préférée passe une fois par semaine, le samedi à cinq heures. Ça s'appelle "Riding Zone" et il s'agit d'une émission sur les sports extrêmes comme le surf, le skate ou le VTT (vélo tout terrain) par exemple. J'aime beaucoup regarder cela car c'est toujours divertissant et les sportifs qui sont présentés sont vraiment impressionnants.

(4) Je déteste par-dessus tout, les émissions de téléréalité car je trouve que ce genre de programmes est une perte de temps, c'est ridicule et cela donne une version faussée *[fake]* de la réalité. J'évite aussi de regarder les films romantiques car je pense que c'est barbant et ce que je n'aime pas du tout, ce sont les publicités qui interrompent constamment le suspense au milieu des films.

14. Find the French equivalent for the following

a. *A bit* (1): U__ p____

b. *Soap operas* (1): D__ f_____

c. *I find it boring* (1): J_ t_____ c____ e_____

d. *Exciting* (1): P_____

e. *I learn* (1): J'a_____

f. *A lot of new things* (1):
B_____ d_ n_____ c_____

g. *It is gripping* (1):

h. *Only watches series* (2):

i. *Has a subscription to* (2):

j. *Most of her free time* (2):

k. *She gets often told off* (2):

l. *Is on* (3):

m. *It is about* (3): I_ s'a_____

n. *It is entertaining* (3): C'e___ d_____

o. *A programme about* (3): U__ e_____ s__

15. Complete the translation of paragraph (4)

I hate _____ reality TV programmes because I find that this type of programmes is a _____, it's ridiculous and it gives a _____ version of _____. I also _____ watching romantic films because I _____ that they are _____ and what I don't like _____, it is the _____ that constantly interrupt the suspense _____ of the movies.

16. Answer the following questions about Louis's text

a. How often does he watch television during the week?

b. What programmes does he NEVER watch? Why?

c. Why does he enjoy watching documentaries?

d. Can you list four things Louis says about his sister in paragraph (2)?

e. What is Louis's favourite programme? Why? What is it about? What does VTT stand for?

f. What three reasons does Louis give for disliking reality TV programmes?

g. What other two things does he dislike about TV? Why? (provide as many details as possible)

THE LANGUAGE GYM

TEXT 2 - Céline

(1) Tous les week-ends, je regarde un film avec ma famille le samedi soir. Parfois c'est un film d'action, ou de temps en temps c'est une comédie. J'adore aussi regarder de vieux films en noir et blanc car je trouve cela plus élégant que les films récents. Par ailleurs, ce qui me plaît c'est de regarder des dessins animés avec mon petit frère car c'est marrant.

(2) Ma série favorite, c'est "Emily in Paris" et je ne manque jamais un épisode. Je trouve cela divertissant et j'aime bien l'actrice principale car elle est jolie et charismatique. J'aime aussi "Talk to my agent" car il y a de nombreux acteurs français connus et également toutes les meilleures actrices françaises.

(3) Mon frère aîné, quant à lui, [as for him] ne regarde jamais de séries. Il préfère regarder des documentaires, surtout sur les animaux ou la nature car il trouve cela fascinant. Son émission préférée, c'est "Planet Earth" et il aime cela car c'est éducatif et il est passionné par le monde naturel. Il veut devenir vétérinaire et il étudie la biologie à l'université. À mon avis, les documentaires sont moins drôles que les séries.

(4) D'habitude, j'évite de regarder les émissions de téléréalité car je trouve que c'est bête et ennuyeux. Ce que je déteste aussi ce sont les publicités toutes les quinze minutes pendant les films. Quel cauchemar! En plus elles sont toujours aux moments les plus intéressants du film et elles coupent l'action et le suspense de l'histoire, c'est vraiment nul. Heureusement, au cinéma il n'y a pas de publicités durant les films.

17. Complete the sentences below based on Céline's text

a. Every weekend she watches a movie with her family on _____

b. _____ it is an action movie, or _____ _____ it is a comedy

c. I also love to watch _____ in _____ because I _____

d. In addition, what I like is to _____ with my brother because it is _____

e. My favourite series is "Emily in Paris" and I never _____. I find it _____ and I quite like the main actress because _____

f. I also enjoy "Talk to my agent" because _____ _____ and also _____

g. My older brother never _____

h. He prefers documentaries on animals because _____

i. He has a passion for _____

j. Usually, I avoid watching _____ because I _____ that they are _____ and _____.

k. What I also hate is _____ every _____ during movies. What a _____!

18. Find in Céline's text the French equivalent for the following

a. From time to time:

b. Old:

c. In black and white:

d. In addition:

e. I never miss:

f. Entertaining:

g. Numerous:

h. Famous:

i. As for him:

j. He finds that fascinating:

k. His favourite programme:

l. The natural world:

m. Less fun:

n. What a nightmare!

19. Fill in the gap using the options provided below

Pendant la semaine, en général je _____ la télévision presque tous les jours. Je ne regarde _____ de dessins animés car je les trouve _____ et enfantins. Par contre, j'adore regarder des documentaires, car à mon avis ils sont éducatifs et _____ et j'apprends beaucoup de nouvelles choses en les regardant. Par ailleurs, j'adore _____ des films de science-fiction car ils sont prenants et c'est mon genre de film _____ . D'habitude, j'évite de regarder les émissions de sport car je les _____ ennuyeuses. Ce que je déteste aussi ce sont les _____ toutes les dix minutes pendant les films. Quel cauchemar ! En plus elles sont toujours aux moments les _____ intéressants du film et elles coupent l'action et le _____ de l'histoire. C'est vraiment nul. Heureusement, au _____ il n'y a pas de publicités durant les films. Je n'aime pas les émissions de _____ , non plus.

bêtes	publicités	regarde	téléréalité	cinéma	trouve
préféré	jamais	plus	passionnants	regarder	suspense

20. Translate into English

a. C'est mon genre de films

b. Ils sont éducatifs

c. Il n'y a pas de publicités

d. Je les trouve bêtes

e. Les émissions de téléréalité

f. En noir et blanc

g. Je les trouve ennuyeux

h. Ce qui me plaît

i. Elles coupent l'action

j. Ils sont moins drôles

k. J'apprends beaucoup de nouvelles choses

l. Pendant la semaine

m. Cela passe une fois par semaine

n. Je les trouve passionnants

21. Combine the chunks in each column to make logical sentences, then translate them into English

1	2	English translation
Ma série	publicités durant les films	
J'adore regarder de vieux films	sont les publicités	
J'évite de regarder les émissions	favorite, c'est "Emily in Paris"	
Quel	regarder des dessins animés	
Au cinéma il n'y a pas de	c'est "Planet Earth"	
Ce qui me plaît c'est de	que c'est stupide et ennuyeux	
Son émission préférée,	en noir et blanc	
Ce que je déteste, ce	cauchemar!	
Je trouve	sont éducatifs	
C'est mon genre de films	de téléréalité	
À mon avis, les documentaires	préféré	

22. Tiles translation: translate the text below using the chunks of language provided in the table below

During the week, I watch television every day. I spend about 2-3 hours a day watching movies or series on Netflix.

My favourite programmes are game shows, cartoons and series. The programme I like the most is called 'CSI'. I love police series because they are exciting and full of action.

What I can't stand are TV reality shows because they are stupid and fake. I also hate commercials because they cut the action at the most interesting moments of a programme. What a nightmare!

Mes émissions favorites	que j'aime le plus	les plus intéressants	films ou des séries sur Netflix.
car elles sont passionnantes	Pendant la semaine	ce sont les jeux télévisés	s'appelle
Je passe environ	les séries policières	deux ou trois heures par jour	les émissions de téléréalité
L'émission	ce sont	je déteste	les dessins animés et les séries.
ce que je ne supporte pas	je regarde la télé	les publicités	d'une émission.
car elles sont bêtes	à regarder des	et pleines d'action.	quel cauchemar!
J'adore	car elles coupent	aux moments	tous les jours.
aussi	CSI.	et fausses.	l'action

23. Translate into English (word level)

a. *A programme*: Une é_____

b. *A series*: Une s_____

c. *Interesting*: I_____

d. *Commercials*: Les p_____

e. *A documentary*: Un d_____

f. *Favourite*: F_____

g. *A game*: Un j_____

h. *A soap opera*: Un f_____

i. *To watch*: R_____

j. *In addition*: P___ a_____

k. *During*: P_____

l. *Childish*: P_____

m. *Exciting*: P_____

n. *Fascinating*: F_____

o. *Nightmare*: C_____

24. Complete

a. J'adore les é_____ de musique

b. Je les t_____ très divertissantes

c. J'aime surtout quand il y a des c_____ à la télévision. Je les trouve très drôles !

d. J'aime aussi les films de s_____ comme Star Trek et La Guerre des Étoiles *[Star Wars]*.

e. En plus, je r_____ souvent des documentaires

f. J'aime surtout les documentaires s__ le monde naturel

g. Ce que je ne s_____ pas, ce sont les publicités, car je les t_____ embêtantes *[annoying]*

h. Elles coupent l'action aux _____ les plus intéressants

i. Une autre chose que je n'_____ pas du tout, ce sont les films romantiques, car ils _____très répétitifs

j. Mes parents _____ souvent les jeux télévisés, car ils les trouvent _____

k. Par contre, mon frère cadet p_____ des heures à regarder des d_____ animés. Ils les trouve d_____ .

25. Translate into French (phrase level)

a. Luckily

b. What I can't stand

c. During the week

d. Every day

e. I spend

f. What I also hate

g. I find that

h. Sports programmes

i. Negative things

j. On the natural world

k. Exciting and entertaining

l. I learn

m. At the best moments

n. When there is

o. What a nightmare!

p. The programme I like

q. A series on Netflix

r. I avoid watching

26. Translate into French (sentence level)

a. During the week, I watch television every day

b. I spend about three hours a day watching films, documentaries and series

c. I prefer action movies, documentaries on the natural world and police series. I find them exciting and entertaining

d. What I like about documentaries is that I learn a lot

e. What I can't stand is sports programmes, as I find them boring

f. I avoid watching the news because I always learn negative things about the world

g. What I hate the most, however, is commercials because they interrupt action at the best moments

27. Write a 140-word composition including the following points:

- To what extent you enjoy watching television and why
- How much time you spend watching television
- What you watch normally and why
- What your favourite tv programme is and how often is on
- What you dislike the most and why
- What you think of tv-reality shows, commercials, Netflix series, sports programme and the news bulletin

28. Write a 200-word composition including the following points:

- What the rest of your family enjoys watching (write a bit for each family member)
- What you did yesterday during your free time, including what you watched (on TV, social media, etc.) and how you liked it
- What kind of movie you would like to watch over the next few days or weeks and why
- What you plan to do tomorrow in your free time. Note, you must include, amongst other things: (a) watching TV programmes and movies , (b) listening to music and (c) use of the internet
- Say what programmes you used to watch as a child and what your favourite one was.

Key questions

Qu'est-ce que tu aimes regarder à la télévision d'habitude? Pourquoi?	*What you usually like watching on TV? Why?*
Quel est ton émission de télévision préférée? Ça passe quand?	*What is your favourite TV program? When is it on?*
Tu préfères regarder des films ou des séries? Pourquoi?	*Do you prefer watching films or series? Why?*
Quel est le type de programme télévisé que tu n'aimes pas? Pourquoi?	*What is the type of TV program you don't like? Why?*
Est-ce que la télévision est importante pour toi? Explique?	*Is television important to you? Explain?*
Quand regardes-tu normalement la télévision?	*When do you normally watch TV?*
Où aimes-tu regarder la télévision? Pourquoi?	*Where do you like watching TV? Why?*
Avec qui aimes-tu regarder la télévision? Pour quelle raison?	*Who do you like watching TV with? For what reason?*
Combien de temps passes-tu en moyenne à regarder la télévision chaque semaine?	*How much time do you spend on average watching TV each week?*

Unit 6. Talking about a movie in the past tense

Avant-hier, *The day before yesterday,*	**j'ai acheté une place de cinéma pour voir** *I bought a cinema ticket to see*	**une comédie** *a comedy*
Hier après-midi, *Yesterday afternoon,*	**j'ai été au cinéna pour voir** *I have been to the cinema to see*	**un court-métrage** *a short film*
Hier soir, *Yesterday evening,*	**j'ai regardé** *I watched*	**un dessin animé** *a cartoon*
Le week-end dernier, *Last weekend,*	**j'ai vu** *I saw*	**un film d'amour/d'aventure/** **d'horreur/de science-fiction** *a romantic/adventure/*
Samedi dernier, *Last Saturday,*	**je suis allé(e) au cinéma pour regarder** *I went to the cinema to watch*	*horror/science fiction film*

Le film parlait de *The film talked about*	**l'histoire d'un super-héros** *the story of a superhero*	**qui avait pour mission de sauver le monde** *who had the mission to save the world*
Il s'agissait de *It was about*	**la vie d'un personnage** *the life of a character*	**qui était en quête de son âme sœur** *who was looking for his/her soulmate*

Le thème principal, *The main theme*	**c'était** *was*	**l'amitié** *friendship* **l'avidité** *greed* **l'enfance** *childhood* **l'espionnage** *spying* **la fin du monde** *the end of the world* **la guerre (du Vietnam)** *(the Vietnam) war* **les relations amoureuses** *romantic relationships* **la vengeance** *revenge* **une lutte entre le bien et le mal** *a fight between good and evil* **une histoire vraie** *a true story* **une prise d'otage** *a hostage taking*

J'ai beaucoup aimé *I liked a lot* **J'ai particulièrement adoré** *I particularly loved* **J'ai vraiment apprécié** *I have really appreciated*	**la bande sonore** *the soundtrack* **les costumes** *the costumes* **les effets spéciaux** *the special effects* **le jeu des acteurs** *the acting* **l'histoire** *the story* **la mise en scène** *the directing* **le montage** *the editing* **le scénario** *the storyline* **les scènes de combats** *the combat scenes*	**car** **c'était** **captivant** *captivating* **comique** *comical* **émouvant** *moving* **hilarant** *hilarious* **impressionnant** *impressive* **original** *original* **prenant** *gripping* **superbe** *superb*
J'ai détesté *I hated* **Je n'ai pas aimé** *I didn't like*		**angoissant** *nerve-racking* **décevant** *disappointing* **médiocre** *mediocre* **prévisible** *predictable*

1. Match up

Un court-métrage	*The war*
L'enfance	*A spy film*
Un dessin animé	*A science fiction film*
La guerre	*Childhood*
Un film d'espionnage	*The editing*
La vengeance	*A true story*
Un film de science-fiction	*A cartoon*
Le montage	*A romantic film*
Une histoire vraie	*The acting*
Un film d'amour	*A police film*
Le jeu des acteurs	*The revenge*
Un film policier	*A romantic relationship*
Une relation amoureuse	*The directing*
La mise en scène	*A short film*

2. Complete the words then translate them into English

a. Une com_ _ _ _

b. Le mon_ _ _ _

c. Le j_ _ des act_ _ _ _

d. Un film d'am_ _ _

e. La m_ _ _ en sc_ _ _

f. La venge_ _ _ _

g. La guer_ _

h. Une hist_ _ _ _ vr_ _ _

i. L'enfa_ _ _

j. Un film polic_ _ _

k. La fin du mon_ _

3. Phrase puzzle

a. monde La du fin: *The end of the world*

b. du guerre Vietnam La: *The Vietnam war*

c. histoire Une vraie: *A true story*

d. Une d'otage prise: *A hostage taking*

e. histoire Une d'espionnage: *A spy story*

f. de combat Plein scènes de: *Full of combat scenes*

g. mise scène en originale Une: *Original directing*

h. et une relation entre amoureuse un homme Une femme: *A romantic relationship between a man and a woman*

4. Translanagrams: unjumble and translate the following words or phrases

a. ueGrre:

b. nnaspEioge:

c. eurHorr:

d. istHoire:

e. engeVance:

f. ntagMoe:

g. éComide:

h. isMe ne nescè:

5. Translate into English

a. J'ai acheté une place de cinéma pour voir un film d'horreur

b. J'ai aimé les effets spéciaux car c'était impressionnant

c. J'ai particulièrement adoré la bande sonore car c'était émouvant

d. Je n'ai pas aimé le jeu des acteurs car c'était médiocre

e. J'ai vraiment apprécié le scénario car c'était hilarant

f. Les costumes étaient absolument superbes

g. J'ai regardé un film d'amour. J'ai vraiment aimé la mise en scène

h. Dans le film, il s'agissait de la vie d'un personnage historique

i. Le film parlait de l'enfance de la reine d'Angleterre

6. Complete

a. La fin ___ monde

b. Une prise ___ otage

c. Un film ___ action

d. La guerre ___ Vietnam

e. Le jeu ___ acteurs

f. La mise ___ scène

g. Les scènes ___ combats

h. La vie ___ un personage

i. Un film ___ science-fiction

7. Gapped translation

a. Avant-hier j'ai _____ une place de _____ : *The day before yesterday I bought a cinema ticket*

b. _____ soir j'ai _____ un film ____ action: *Yesterday I saw an action movie*

c. Le film _____ de l'histoire d'un _____ : *The film talked about the story of a superhero*

d. Il s'_____ de la _____ de la reine: *It was about the queen's life*

e. Le _____ principal, c'était l'avidité: *The main theme was greed*

f. J'ai beaucoup aimé la _____ sonore: *I have much liked the soundtrack*

g. J'ai _____ aimé le jeu des acteurs: *I have also liked the acting*

8. Complete the words

a. Un film d'espion_ _ _ _: *A spy movie*

b. Un film d'amo_ _: *A romantic movie*

c. Le thè_ _ du film: *The movie theme*

d. Les effets spé_ _ _ _ _ : *Special effects*

e. L'avidi_ _ : *Greed*

f. L' _ _fance: *Childhood*

g. La gue_ _ _ : *War*

h. Le j_ _ des acteurs: *The acting*

i. La mi_ _ en scè_ _ : *The directing*

9. Break the flow

a. Jaiaimélejeudesacteurs

b. Ilsagissaitdelaviedunpersonnagehistorique

c. Lethèmeprincipalcétaitlaguerre

d. Jenaipasaimélabandesonore

e. Lameilleurechosedufilmcétaitlamiseenscène

f. Lefilmparlaitdelhistoiredunsuper-héros

g. Samedidernierjaiétéaucinémapourvoirunfilm

h. Lepirecétaitlescénario

i. Jaitrouvéquelabandesonoreétaitoriginale

10. Gapped translation

a. Un film d'_____: *A romantic movie*

b. Le _____ principal: *The main theme*

c. Un film d'_____: *A spy movie*

d. Les effets _____ : *The special effects*

e. La _____ sonore: *The soundtrack*

f. La _____ en scène: *The directing*

g. La _____ du Vietnam: *Vietnam war*

h. Il s'_____ de… : *It was about…*

i. L'avidité et l'_____: *Greed and money*

j. La fin du _____ : *The end of the world*

11. Complete with the missing accents

a. La mise en scene

b. Les effets speciaux

c. L'avidite

d. Le theme principal

e. L'amitie

f. J'ai ete au cinema

g. Un super-heros

h. J'ai achete une place

i. C'etait emouvant

j. C'etait mediocre

12. Sentence puzzle

a. Hier, un film secret d'action. Le parlait d'un agent j'ai vu film

Yesterday, I saw an action film. The film talked about a secret agent

b. j'ai au cinéma. J'ai un film de été science-fiction Avant-hier, vu

The day before yesterday, I have been to the cinema. I saw a science fiction film

c. Le bien principal mauvais c'était la entre le et le mal. Le jeu des acteurs lutte était thème

The main theme was the fight between good and evil. The acting was bad

d. Je n'ai aimé la sonore, mais spéciaux pas j'ai les effets bande adoré

I didn't like the soundtrack, but I loved the special effects

e. prévisible j'ai vu un film d'amour. Le Samedi dernier était ennuyeux et scénario

Last saturday, I saw a romantic film. The storyline was boring and predictable

f. Hier, j'ai vu de vengeance un film au cinéma. Il soir d'argent, d'ambition et. C'était génial ! s'agissait

Yesterday evening, I saw a film at the cinema. It was about money, ambition and revenge. It was great!

13. Tangled translation

a. **Yesterday**, j'ai vu un film d'**love**. C'était **boring**!

b. Dans le film, **it was about** la relation amoureuse entre un homme et **a woman** pendant la **war** du Vietnam

c. Avant-hier, **I have been to the** cinéma. J'ai **loved** le film

d. Le thème principal c'était la **fight** entre le **good** et le **evil**

e. Le film **talked** d'une histoire **true**

f. Les dialogues **were** très **comical**. Le **acting was** mauvais

g. Le **editing** était nul, **but** la **soundtrack** était superbe

h. Le film racontait the **life** d'un **historical character**

14. Translate into French

a. Theme
b. Soundtrack
c. Money
d. Directing
e. Acting
f. Editing
g. Storyline
h. Exciting
i. Nerve-racking
j. Entertaining
k. Disappointing
l. Boring
m. Predictable
n. Good
o. Evil
p. Greed
q. Money
r. It was about

15. Guided translation

a. D_ _ _ l_ film, il s'a_ _ _ _ _ _ _ d_ l_ l_ _ _ _ e_ _ _ _ l_ b_ _ _ e_ l_ m_ _ :
The movie was about the fight between good and evil

b. L_ b_ _ _ _ s_ _ _ _ é_ _ _ _ s_ _ _ _ _ _ : *The soundtrack was superb*

c. L_ t_ _ _ _ p_ _ _ _ _ _ _ _ , c'é_ _ _ _ l_ g_ _ _ _ : *The main theme was war*

d. L_ _ s_ _ _ _ _ d_ c_ _ _ _ _ _ é_ _ _ _ _ _ p_ _ _ _ _ _ _ _ : *The combat scenes were gripping*

e. L'h_ _ _ _ _ _ _ n'é_ _ _ _ p_ _ c_ _ _ _ _ _ _ _ _ : *The story wasn't captivating*

f. H_ _ _ _ , j'_ _ v_ u_ f_ _ _ d'a_ _ _ _ : *Yesterday, I saw a romantic movie*

g. L_ _ t_ _ _ _ _ p_ _ _ _ _ _ _ _ _ é_ _ _ _ _ _ l'a_ _ _ _ _ e_ l'a_ _ _ _ _ _ :
The main themes were money and greed

h. L_ f_ _ _ p_ _ _ _ _ _ d_ l_ f_ _ d_ m_ _ _ _ : *The film talked about the end of the world*

Conversation entre amis (Première partie)

Question: Parle-moi du dernier film que tu as vu au cinéma?

Isabelle: Moi, le week-end dernier, j'ai acheté une place de cinéma pour voir une comédie. Ça s'appelait "The Takedown" et c'était avec Omar Sy et Laurent Lafitte. Le film parlait d'une enquête policière *[police investigation]* pour une affaire de meurtre. Le film se déroulait *[took place]* entre Paris et les Alpes françaises et j'ai beaucoup aimé les paysages. Le thème principal était la chasse *[hunt]* aux criminels et j'ai particulièrement adoré le jeu des acteurs et les scènes de combats car c'était captivant et divertissant.

Adrien: La dernière fois que je suis allé au cinéma c'était samedi dernier et j'ai vu un court-métrage. Ça s'appelait "Les mauvais garçons" et il s'agissait de l'histoire de trois amis trentenaires dont l'un d'entre eux est sur le point de devenir père. Les deux autres délaissés par leur meilleur ami tentent de réinventer leur amitié. Le thème principal était l'importance des amis dans la vie et les relations amoureuses. J'ai trouvé que le scénario était original et j'ai vraiment apprécié la mise en scène car c'était à la fois marrant et émouvant.

16. Find the French for the following:

a. *A cinema ticket*: U__ p_____ d_ c_____

b. *It was called*: Ça s'a_____

c. *Talked about*: P_____ d__

d. *Murder*: M_____

e. *Between*: E_____

f. *The landscapes*: L__ p_____

g. *The acting*: L__ j___ d__ a_____

h. *Entertaining*: D_____

i. *The last time*: L__ d_____ f____

j. *A short film*: U__ c_____-m_____

k. *Bad boys*: M_____ g_____

l. *About to become*: S__ l_ p_____ d__ d_____

m. *Abandoned*: D_____

n. *(they) Try*: T_____

o. *Friendship*: A_____

p. *Love relationships*: R_____ a_____

q. *I found that*: J'___ t_____ q__

r. *The directing*: M_____ e__ s_____

17. Complete the translation of Adrien's text

The _____ I went to the cinema it was last _____ and I saw a _____. It was called "The _____" and it was about the _____ of three friends in their _____, one of whom is about to _____ a _____. The two _____, abandoned by their _____ friend try to reinvent their _____.
The main theme is the importance of _____ in _____ and _____ _____. I found that the _____ was original and I have _____ appreciated the _____ because it was at the same time _____ and _____.

18. Complete the text below with the options provided in the table

Amélie: Le dernier film que j'ai _____ au cinéma c'était avant-hier. Je suis _____ en ville avec ma sœur. Je suis allée à la _____ de 14h00 avec ma sœur jumelle et nous _____ regardé un dessin animé japonais qui _____ "Bubble". L'histoire se déroulait _____ Tokyo et la _____ était envahie d'étranges bulles flottantes. Il _____ de l'histoire d'amour entre une fille _____ avec des superpouvoirs et un jeune homme casse-cou adepte du _____. Le thème principal _____ la quête de l'âme sœur et j'_____ beaucoup aimé les effets _____ car c'était original. Ma sœur quant à elle a _____ les costumes des personnages et les scènes de parkour car c'était _____.

s'appelait	spéciaux	ville	avons	ai
mystérieuse	séance	allée	parkour	à
prenant	c'était	préféré	s'agissait	vu

THE LANGUAGE GYM

Conversation entre amis (Deuxième partie)

Amélie: Le dernier film que j'ai vu au cinéma c'était avant-hier. Je suis allée à la séance de 14h00 avec ma sœur jumelle et nous avons regardé un dessin animé japonais qui s'appelait "Bubble". L'histoire se déroulait à Tokyo et la ville était envahie d'étranges bulles flottantes. Il s'agissait de l'histoire d'amour entre une fille mystérieuse avec des superpouvoirs et un jeune homme casse-cou adepte du parkour. Le thème principal, c'était la quête de l'âme sœur et j'ai beaucoup aimé les effets spéciaux car c'était original. Ma sœur quant à elle a préféré les costumes des personnages et les scènes de parkour car c'était prenant.

Benjamin: La dernière fois que j'ai été voir un film sur le grand écran, c'était pas plus tard que hier soir. Je suis allé au cinéma avec ma petite amie et j'ai commandé du pop-corn et des boissons avant qu'on s'installe. Nous avons vu un film qui s'appelait "Demain tout commence" et il s'agissait de l'histoire d'un père et de sa fille. Les thèmes principaux étaient la famille et les difficultés parentales. C'était inspiré d'une histoire vraie et j'ai particulièrement aimé cela. L'action se déroulait entre le sud de la France et Londres et ce que j'ai beaucoup aimé c'était la bande sonore et le montage car c'était à la fois hilarant et émouvant.

19. True, False or Not mentioned?

a. Amélie went to the movies yesterday

b. She went with her boyfriend

c. They watched a Cartoon set in Japan

d. In the movie, Tokyo is invaded by spaceships

e. The movie was about a love story between two young people

f. The cinema was full of people

g. The main theme of the movie was the search for one's soulmate

h. The special effects were original

i. Amélie loves Parkour

20. Find the French for the following in Amélie's text

a. Session:

b. Twin sister:

c. We watched:

d. Was called:

e. Took place:

f. Weird floating bubbles:

g. Superpowers:

h. Daredevil:

i. Soulmate:

21. Answer the following questions about the two texts above

a. When did Amélie and Benjamin last go to the cinema?

b. What type of movie did Amélie watch?

c. What was 'Bubbles' about?

d. Who has superpowers in the movie?

e. What does 'un jeune homme casse-cou' mean?

f. Who did Benjamin go to the cinema with?

g. What was the movie he watched about?

h. What did he particularly like?

i. Where did the action take place?

j. What are the two things he liked the most about the movie?

 THE LANGUAGE GYM

22. Complete with the options provided

Le dernier film _____ j'ai vu au cinéma c'était avant-hier. Je suis _____ en ville. Je suis allée à la _____ de 15h00 avec ma sœur jumelle et nous avons _____ un dessin animé japonais qui s'appelait "Bubble". L'histoire se _____ à Tokyo et la ville était envahie d'étranges _____ flottantes. Il s'agissait de l'histoire d'_____ entre une fille mystérieuse avec des _____ et un jeune homme casse-cou adepte du parkour. Le _____ principal c'était la quête de l'âme sœur et j'ai _____ aimé les effets spéciaux car c'était original. Ma sœur, quant à elle, a _____ les costumes des personnages et les scènes de parkour car c'était _____ .

séance	beaucoup	déroulait	superpouvoirs	regardé	bulles
thème	prenant	amour	allée	que	préféré

23. Split sentences: join the two chunks in each column to make logical sentences then translate them

1	2	English translation
J'ai acheté une place	la fin du monde	
Le thème principal c'était	bande sonore	
J'ai été au cinéma	film d'espionnage	
Il s'agissait d'	de cinéma	
J'ai beaucoup aimé la	d'otage dans une banque	
J'ai vu un	une histoire vraie	
Ce que j'ai aimé le plus	pour voir un film	
Le film parlait d'une prise	c'était le jeu des acteurs	

24. Translate into English

a. La dernière fois:

b. Sur le grand écran:

c. Hier soir:

d. Ma petite amie:

e. J'ai commandé du pop-corn:

f. Nous avons vu:

g. Il s'agissait de l'histoire d'un père et de sa fille:

h. Les thèmes principaux:

i. J'ai aimé le fait que c'était un film original:

j. Le film était inspiré d'une histoire vraie:

k. Une histoire d'amour:

l. Le film parlait d'une fille avec des superpouvoirs:

m. Il y avait aussi un jeune homme casse-cou:

n. L'importance des amis dans la vie:

o. Ce que je n'ai pas aimé, c'était la mise en scène:

25. Complete

a. La dernière fois q_ _ j'ai vu un film

b. J'ai beaucoup a_ _ _ les effets spéciaux

c. Le film p_ _ _ _ _ _ d'une histoire vraie

d. J'ai v_ un film hilarant

e. Je n'ai pas aimé la m_ _ _ en scène

f. Le thème principal é_ _ _ _ la guerre

g. Il s'a_ _ _ _ _ _ de la vie d'une actrice célèbre

h. J'ai a_ _ _ _ _ une place de cinéma

i. J'y suis a_ _ _ avec ma petite amie

j. J'ai vu un film d'a_ _ _ _

k. J'ai c_ _ _ _ _ _ _ un coca et du pop-corn

l. Le j_ _ des acteurs était nul

26. Tiles translation

Two days ago, I bought a cinema ticket to see a spy movie. I went there with my girlfriend and her sister. There were a lot of people because it was a Sunday. I liked the movie a lot because it was funny and the dialogues were comical. The directing and the acting were very good too and there were some really good special effects too. The movie was full of action and there were some gripping combat scenes. I would watch it again one more time.

les dialogues étaient	J'ai beaucoup aimé	pour voir	Il y avait beaucoup
Il y a deux jours,	étaient très bien et	de bons	d'action
il y avait	parce que	comiques.	le film car
Le film était plein	un film d'espionnage.	de gens	et il y avait
j'ai acheté	le jeu des acteurs	et sa sœur.	aussi.
avec ma petite amie	des scènes de combats	c'était un dimanche.	effets spéciaux
J'y suis allé	La mise en scène et	une place	prenantes.
de cinéma	Je le reverrais bien	c'était marrant et	encore une fois.

27. Gapped translation

a. Le film _____ d'une histoire d'_____: *The movie talked about a love story*

b. Le _____ des acteurs était _____: *The acting was terrible*

c. Il s'_____ d'une histoire vraie pendant la _____: *It was about a real story during the war*

d. Le _____ principal était l'_____: *The main theme was friendship*

e. J'ai _____ une place de cinéma pour _____ "Bubble": *I bought a cinema ticket to see "Bubble"*

f. J'ai _____ que la _____ était décevante: *I have found that the directing was disappointing*

g. J'ai bien _____ le _____ et la _____: *I have liked the storyline and the soundtrack*

h. Le film parlait d'un _____qui était en _____ de son _____ sœur:
The film talked about a man who was searching for his soulmate

28. Complete creatively inserting as many words as you like. Ensure the sentences make sense.

a. _____, j'ai acheté une place de cinéma pour voir un _____

b. J'y suis allé avec _____

c. Avant que le film commence, nous avons commandé _____ et _____

d. Le film parlait d_____

e. Le thème principal, c'était _____

f. J'ai beaucoup aimé _____ et _____ car ils étaient _____

g. J'ai aussi adoré _____ car c'était _____

h. Je n'ai pas du tout aimé _____ car c'était _____

THE LANGUAGE GYM

100

29. Guided translation

a. *The main theme*: L_ t_____ p_____

b. *The acting*: L_ j___ d___ a_____

c. *The directing*: L_ m____ e__ s_____

d. *The film talked about war*: L_ f____ p_____ d_ g_____

e. *I loved the movie*: J'a_ a_____ l_ f_____

f. *I find them boring*: J_ l__ t_____ e_____

g. *It was a romantic movie*: C'é____ u_ f____ d'a_____

h. *It was about a true story*: I_ s'a_____ d'u___ h_____ v____

i. *I liked the special effects*: J'a_ a_____ l_ e_____ s_____

30. Correct the spelling/grammar mistakes

a. Un film du espionage (2)

b. Le jeu d'actors (2)

c. Le film parlait du guerre (1)

d. Avant-hier, je vu une comédy (2)

e. Le week-end dernière (1)

f. Hier, je regardé un courtmetrage (2)

g. Il s'agissait d'un historie vraie (2)

h. Je vu une dessin animé (2)

31. Translate the following paragraphs into French

(1) Two days ago, I went to the cinema to watch an American comedy. It was about the story of a young man who was looking for his soulmate. Thus, the main theme was love and romantic relationships. The film took place in London, but the main character was an American man. The movie was quite interesting and entertaining. The dialogues were comical and the directing was impressive. What I liked the most was the acting and the soundtrack.

(2) Yesterday, I went to the cinema with my girlfriend to see an action movie. It was about a superhero who had the mission to save the world. The movie was full of combat scenes and special effects. I loved that. I found that the movie was very entertaining and fast-paced *[palpitant]* with some comical scenes. However, the directing and the acting weren't always very captivating. Fortunately, the soundtrack was original and I loved the ending. My girlfriend didn't like the movie because she found that there was too much violence.

32. Translate the following paragraph into French

My name is Jean-Claude. During my free time, I spend a lot of time on the internet, especially on social media. I know it is not healthy to spend too much time in front of a computer, but it is very entertaining. I usually spend three hours a day on Facebook, Instagram and Tik Tok. I also enjoy watching television. My favourite programmes are game shows, police series and music programmes. I love music. I play the guitar and I love rehearsing with my band and the writing lyrics of our songs. Finally, I love going to the cinema. Yesterday, I went to the cinema to see a science-fiction movie called "La fin du monde". It was about an alien invasion of planet earth. The action took place in New York. I have loved it because the storyline was gripping and the combat scenes exciting. Moreover, the dialogues were often hilarious. The directing was very good too and I have loved the special effects. I will definitely watch it again.

33. Write a 150 words composition including the following points

a. How you use the internet, especially social media and how much you spend on them.

b. The pros and cons of mobile phones

c. What you watch on television. What you like and what you dislike and what your favourite programme is and why

d. A description of a recent outing to the cinema saying:

- Who you went with

- What film you watched and what genre it was

- What it was about and the main theme was

- How much you liked it; what you liked and disliked about it and why

THE LANGUAGE GYM

Key questions

Qu'est-ce que tu as aimé regarder à la télévision hier? Pourquoi?	*What did like watching on TV yesterday? Why?*
Quel était ton émission de télévision préférée avant? Ça passait quand?	*What was your favourite TV program before? When was it on?*
Qu'est-ce que tu as préféré regarder à la télévision le week-end dernier? Pourquoi?	*What did you prefer watching on TV last weekend? Why?*
Qu'est-ce que tu n'as pas aimé regarder à la télévision la semaine dernière? Pourquoi?	*What did you not like watching on television last week? Why?*
Quand tu étais plus jeune, est-ce que la télévision était importante pour toi? Explique?	*When you were younger, was television important to you? Explain?*
Quand as-tu regardé la télévision pour la dernière fois? C'était comment?	*When did you watch TV for the last time? How was it?*
Avec qui as-tu regardé la télévision hier après-midi? C'était où?	*Who did you watch TV with yesterday afternoon? Where was it?*
Comment as-tu trouvé les films à la télévision cette semaine?	*How did you find the films on television this week?*
Combien de temps as-tu passé à regarder la télévision la semaine dernière?	*How much time did you spend watching TV last week?*

Unit 7. Charity and voluntary work (present tense + conditional)

J'aide dans une association caritative *I help in a charity*	**dans ma ville** *in my town*	**chaque semaine** *each week*
Je fais de l'aide aux devoirs *I do homework help*	**dans mon collège** *in my school*	**tous les dimanches** *every Sunday*
Je fais du bénévolat *I do volunteer work*	**dans mon quartier** *in my neighbourhood*	**une fois par mois** *once a month*

J'adore cela *I love this*	**car je suis** *because I am*	**généreux/euse** *generous*
J'aime beaucoup cela *I like this a lot*	**car je me sens** *because I feel*	**utile** *useful*

Il est essentiel de *It is essential to*	**combattre** *fight*	**la pauvreté** *poverty*
Il est important de *It is important to*	**diminuer** *lower*	**la précarité** *precarity*
Il est nécessaire de *It is necessary to*	**lutter contre** *fight against*	**le chômage** *unemployment*
Il est vital de *It is vital to*	**réduire** *reduce*	**les inégalités** *inequalities*

Il faut *It is necessary to*	**porter assistance aux** *give assistance to the*	**pauvres** *poor people*
Nous devons *We must*	**soutenir les** *support the*	**plus démunis** *most destitute*
On doit *One must*	**venir en aide aux** *come to the rescue of the*	**sans-abris** *homeless*

Il est de notre devoir *It is our duty*	**de ne pas ignorer** *not to ignore*	**les gens dans le besoin** *people in need*
Il est de notre responsabilité *It is our responsibility*	**de ne pas oublier** *not to forget*	**les gens défavorisés** *the underprivileged*

Pour aider *In order to help*	**je fais des dons d'argent** *I make money donations*	**pour des œuvres de charité locales** *for local charities*
	je sers des repas *I serve meals*	**pour une soupe populaire** *for a soup kitchen*

J'enseigne le français bénévolement *I have been teaching French voluntarily*	**pour des réfugiés** *for refugees*	**depuis deux ans** *for two years*
Je suis bénévole dans une association *I have been a volunteer in an association*	**pour des sans domicile fixe (SDF)** *for homeless people*	**depuis quatre ans** *for four years*

À l'avenir, *Going forward,*	**j'aimerais apporter mon soutien aux** *I would like to lend my support to*	**enfants handicapés** *disabled childen*
Dans le futur, *In the future,*	**je voudrais porter secours aux** *I would like to provide assistance to*	**personnes âgées** *the elderly*

1. Match up

Association caritative	*To fight*
Quartier	*In need*
Lutter	*Poverty*
Pauvreté	*People*
Dans le besoin	*Underprivileged*
Les gens	*Homeless*
Oublier	*Charity*
Defavorisé	*Volunteer*
Sans domicile fixe	*To forget*
Avenir	*Neighbourhood*
Bénévole	*Future*

2. Complete with the correct option

a. J'aide dans une association _____

b. Il est essentiel de _____ contre la pauvreté

c. On doit venir en aide aux _____

d. Je voudrais aussi aider les personnes _____

e. Il ne faut pas oublier les gens dans le _____

f. Il est vital de _____ le chômage

g. J'_____ le français bénévolement pour des réfugiés depuis deux ans

h. Je fais du _____ dans ma ville

âgées	besoin	bénévolat	pauvres
caritative	diminuer	lutter	enseigne

3. Translate into English

a. J'aide:

b. Chaque semaine:

c. Il faut:

d. J'aime beaucoup cela:

e. La pauvreté:

f. Le chômage:

g. Lutter contre:

h. Les gens dans le besoin:

i. Les gens defavorisés:

j. Faire du bénévolat:

k. Les enfants handicapés:

l. Les personnes âgées:

m. Une association caritative:

n. À l'avenir:

4. Broken words

a. Un association carit_ _ _ _ _ : *A charity*

b. Dimin_ _ _ : *To lower*

c. Il f_ _ _ : *It is necessary to*

d. Un soupe popul_ _ _ _ : *A soup kitchen*

e. À l'ave_ _ _ : *In the future*

f. Je fais du béné_ _ _ _ _ _ : *I do volunteering*

g. Des d_ _ _ d'argent: *Money donations*

h. Dans mon qu_ _ _ _ _ _ : *In my neighbourhood*

i. J'ense_ _ _ _ : *I teach*

j. Porter sec_ _ _ _ : *To provide assistance*

k. Bénév_ _ _ _ _ _ _ : *Voluntarily*

5. Some of the English translations below are wrong. Find them and correct them

a. Dans mon quartier: *In my town*

b. Les personnes âgées: *Disabled people*

c. Je me sens: *I think*

d. Des dons d'argent: *Money donations*

e. Les gens dans le besoin: *Homeless people*

f. J'enseigne: *I help*

g. Porter secours: *To bring food*

h. Sans-abris: *Homeless*

i. Je suis bénévole: *I am a good person*

THE LANGUAGE GYM

6. Choose the correct option

a. J'**enseigne/apporte/sers** le français aux **dimanches/refugiés/dons**

b. J'aime beaucoup **cela/ce/cette** parce que je me **suis/sens/fais** utile

c. Pour **aider/devoir/oublier** je fais des **repas/dons/enfants** d'argent

d. Je **sers/pense/fais** du bénévolat dans mon **quartier/classe/ville**

e. Il faut **arriver/sortir/venir** en aide **aux/pour/sur** plus **démunis/riches/opulents**

f. Il est essentiel de **harceler/soutenir/insulter** les sans-abris

g. À **l'avenir/autrefois/auparavant** j'aimerais **comporter/apporter/porter** mon soutien aux **enfants/éléphants/dauphins** handicapés

h. Nous **prenons/faisons/devons** soutenir les pauvres et les **sans fauteuil fixe/sans dentifrice fixe/sans domicile fixe**

i. Je suis **bienfaiteur/bénévole/bienfaisant** pour **des/de/se** sans domicile fixe **puisque/depuis/sur** cinq ans

---

7. Find the French for the following in activity 6 above

a. *It is necessary*: Il f_____

b. *Destitute*: D_____

c. *In the future*: À l'_____

d. *To lend my support*: A_____ m__ s_____

e. *Homeless*: S_____ d_____ f_____

f. *To support*: S_____

g. *Volunteer*: B_____

h. *Poor*: P_____

i. *I serve*: Je s_____

j. *Refugees*: R_____

---

8. Match the words/phrases of similar meaning

Combattre	Sans domicile fixe
Aider	Vital
Démunis	Futur
Sans-abri	Lutter
Essentiel	Négliger
Avenir	Apporter du soutien
Diminuer	Pauvres
Personne âgée	On doit
Ignorer	Vieux
Nous devons	Réduire

---

9. Sentence puzzle

a. Il combattre est de pauvreté la essentiel: *It is essential to fight poverty*

b. utile j'aide les, je Quand me sens autres: *When I help others, I feel useful*

c. aider, je Pour des repas pour populaire une soupe sers: *To help, I serve meals in a soup kitchen*

d. Je enfants porter voudrais aux secours handicapés: *I would like to provide assistance to disabled children*

e. pauvres doit On venir en aide aux: *One must come to the rescue of poor people*

f. association J'aide une caritative dans: *I help in a charity*

g. les plus démunis Il faut soutenir: *It is necessary to support the most destitute*

h. Il est le chômage vital de réduire: *It is vital to reduce unemployment*

10. One of three

	1	2	3
Lutter contre	To play with	To fight against	To lean towards
À l'avenir	In the past	Tomorrow	In the future
Je suis bénévole	I am a volunteer	I am benevolent	I am a first aider
Les gens pauvres	Poor people	Rich people	Kind people
Les plus démunis	The luckiest	The bravest	The most destitute
Les enfants handicapés	Disabled children	Disabled people	Disabled adults
Les personnes âgées	The youngsters	The elderly	The new generation
Apporter soutien	To bring food	To lend support	To give
J'enseigne	I teach	I learn	I provide
Il faut	It is necessary	It's your fault	It is faulty

11. Spot and supply the missing word. NOTE: the missing words are usually small (e.g. articles)

a. J'aide dans association caritative

b. Je fais bénévolat dans mon quartier

c. Dans futur, je voudrais porter secours aux personnes âgées

d. Il faut porter assistance pauvres

e. Je fais l'aide aux devoirs chaque semaine

f. J'enseigne français bénévolement

g. On doit aider les gens dans besoin

h. Il faut combattre pauvreté

12. Translate into French

a. I teach French voluntarily

b. I do homework help

c. I make money donations

d. It is necessary

e. In order to help

f. I serve meals

g. I would like to lend my support

h. It is essential to fight against poverty

i. I like this a lot

j. I do volunteer work in my neighbourhood

13. Complete with a suitable word or phrase

a. À l'avenir, j'aimerais _____ mon soutien aux _____ handicapés

b. Je fais du _____ dans mon quartier chaque _____

c. Il est de notre _____, de ne pas ignorer les _____ dans le besoin

d. Je _____ de l'aide aux devoirs dans mon _____ tous les _____

e. Nous devons _____ assistance aux _____

f. Pour aider, je fais des _____ d'argent pour les _____ de charité locales

g. Dans le _____, je voudrais porter _____ aux personnes _____

h. Il est _____ de _____ la _____

i. Quand j'_____ les autres je me _____ utile. J'aime _____ cela

TEXT 1 - Mathieu

(1) J'aide dans une association caritative dans ma ville chaque semaine. Je suis de permanence *[I am on duty]* tous les lundis et je fais de l'aide aux devoirs avec les enfants du collège voisin. J'aime beaucoup cela car je me sens utile et grâce à cela je rencontre de nombreuses personnes intéressantes et gentilles aussi.

(2) Je pense qu'il est important de lutter contre les inégalités et que tout le monde devrait *[should]* avoir l'opportunité d'étudier afin de pouvoir réussir plus tard dans la vie. Nous devons soutenir les plus démunis et il est de notre devoir collectif de ne pas oublier les gens dans le besoin, ceux qui n'ont pas toujours la chance d'avoir accès aux produits de première nécessité.

(3) Pour aider, je fais aussi régulièrement des dons d'argent pour des œuvres de charité locales et je sers des repas pour une soupe populaire dans mon quartier une fois par mois. Il est triste de voir combien de personnes ne peuvent pas se permettre *[cannot afford]* de se payer à manger. Malheureusement, le nombre de pauvres a augmenté à cause de la pandémie du coronavirus.

(4) Par ailleurs, j'enseigne le français bénévolement pour des réfugiés depuis deux ans et je trouve cette expérience très enrichissante *[enriching]*. Il y a des personnes des quatres coins du monde et c'est très intéressant pour moi, car j'apprends beaucoup sur la culture et les coutumes de leurs pays d'origine. Comme quoi *[which goes to show]*, lorsque l'on donne de soi, on reçoit toujours aussi en échange.

14. Find the French equivalent for the following in paragraphs (1) and (2)

a. A charity:

b. Every week:

c. Homework:

d. Neighbourhing:

e. I feel useful:

f. I meet:

g. Kind:

h. I think:

i. To fight against:

j. Everyone:

k. To succeed:

l. In life:

m. To support:

n. The most destitute:

o. Not to forget:

p. People in need:

15. Complete the translation of paragraph (3) below

a. In order to _____, I also regularly make _____ for the local charities and serve meals for a _____ in my _____ once a _____. It is _____ to _____ how many _____ cannot afford to _____. Unfortunately, the number of _____ has _____ because of the coronavirus pandemic.

16. Faulty translation: correct the mistakes in the translation of paragraph (4) below (9 mistakes)

Unfortunately, I have been teaching French for charity to refugees for three years and I find this experience very sad. There are people from the four continents of the world, and it is very exciting for me because I teach a lot about the culture and the customs of my countries of origin. Which goes to show that when one takes, one always receives more in exchange.

17. Translate into English

a. Une association caritative:

b. Je suis de permanence:

c. Je fais de l'aide aux devoirs:

d. Il est important de lutter contre les inegalités:

e. Réussir plus tard dans la vie:

f. Les gens dans le besoin:

g. Pour aider:

h. Des dons d'argent:

i. Le nombre de pauvres a augmenté:

TEXT 2 - Léa

(1) Je fais du bénévolat dans mon quartier tous les dimanches et j'aime cela car je me sens utile et cela me permet de rencontrer du monde *[to meet people]*. À mon avis, il est nécessaire de lutter contre la pauvreté et la précarité, alors pour aider, je sers des repas dans une soupe populaire une fois par semaine. C'est fou de voir le nombre de gens qui n'ont pas les moyens *[don't have the means]* de s'acheter à manger de nos jours.

(2) Je crois qu'il est de notre responsabilité de ne pas oublier les gens dans le besoin et j'aime donner de mon temps pour les autres. Parfois, je fais aussi des dons d'argent pour diverses œuvres de charité, car malheureusement, le temps ne suffit pas et il faut aussi des moyens financiers pour nourrir et loger ceux qui n'ont pas la chance d'avoir un toit au-dessus de leurs têtes.

(3) Ainsi, je suis aussi bénévole dans une association pour les sans domicile fixe depuis quatre ans. Premièrement, nous aidons ces personnes à trouver des logements temporaires dans la ville, et ensuite, nous les aidons à trouver du travail. Le but de l'association est de réinsérer *[reintegrate]* ces personnes dans la société et de leur offrir de l'assistance pour postuler aux emplois de leur choix.

(4) Je dois dire que l'association a beaucoup de succès et environ deux personnes sur trois retrouvent le chemin de l'indépendance financière grâce à notre aide. À l'avenir, j'aimerais apporter mon soutien aux personnes agées, car je pense que c'est une des catégories les plus vulnérables de la population à l'heure actuelle et nous avons tendance à les négliger.

18. Complete the following sentences from the paragraphs 1 and 2 then translate them into English

a. Je fais du b_____ (1):

b. Je me sens u_____(1):

c. L_____ contre la pauvreté (1):

d. Je s_____ des repas (1):

e. Ne pas o_____ les gens dans le besoin (2):

f. Je fais aussi des d____ d'argent (2):

g. N_____ et loger (2):

h. Je suis aussi b_____(3):

i. A_-_____ de leurs têtes (2):

19. Complete the sentences below based on paragraphs 2 and 3

a. It is our responsibility not to _____

b. I like to give _____

c. Sometimes, I also make _____

d. We need the financial means to feed and _____ those who aren't lucky enough to _____

e. Thus, I have also _____ for the last four years

f. Firstly, we help_____, then _____

g. The association's goal is to reintegrate these people in society _____

20. Complete the translation of paragraph 4

I _____ that the association has a lot of success and _____ two people _____ find again the _____ thanks to _____. In the _____, I would like to _____ to _____ people, because I think that it is one of the _____ vulnerable categories of our population at _____ and we tend to _____ them.

21. Find in the text the French equivalent for the following

a. *To neglect*: N
b. *Choice*: C
c. *Volunteer*: B
d. *Accommodation*: L
e. *Path*: C
f. *To help*: A
g. *Need*: B
h. *To feed*: N
i. *Donations*: D
j. *Means*: M
k. *Roof*: T
l. *To apply for a job*: P

22. Complete the text with the options provided

J'aide dans une association _____ dans mon quartier chaque semaine. Je suis de _____ tous les vendredis et je fais de l'aide aux _____ avec les enfants du collège voisin. Pour aider, je fais aussi régulièrement des _____ d'argent pour des œuvres de charités locales qui aident les _____. En plus, je sers des _____ pour une soupe populaire dans mon _____ une fois par semaine. À mon avis, il est essentiel de _____ contre la pauvreté et la précarité. Alors pour aider, je _____ des repas dans une soupe populaire une fois par _____. C'est assez choquant de voir le _____ de gens qui n'ont pas les moyens de s'_____ à manger.

caritative	repas	dons	quartier	sers	lutter
acheter	devoirs	permanence	semaine	handicapés	nombre

23. Tiles translation: translate the text below using the chunks of language provided in the table below

I believe that it is essential to fight against poverty and social inequalities in general. We must support the people in need. Thus, I do a lot of charity work. At least three times a week. Once a week, on Mondays, I serve meals in a soup kitchen. On Wednesdays, I do homework help in a neighbourhing school. On Fridays, I help the homeless. I have been a volunteer in a charity for homeless people for three years. I like this a lot because I feel useful. In the future, I would like to provide assistance to disabled children and the elderly.

Une fois par semaine,	je sers des repas	qu'il est essentiel	aux devoirs	aux enfants handicapés	pour les sans-abris
en général.	Je crois	Ainsi,	soutenir	Au moins	de lutter contre
dans une soupe populaire.	Nous devons	Je suis	la pauvreté et	trois fois par semaine.	dans une association caritative
Le vendredi,	car	je fais beaucoup de	depuis trois ans.	les inégalités sociales	J'aime beaucoup cela
le lundi,	Le mercredi,	Dans le futur,	Je fais de l'aide	dans un collège voisin.	les gens dans le besoin.
je me sens utile.	bénévole	j'aide les SDF.	bénévolat.	porter secours	je voudrais

24. Translate into French

a. I help the homeless:

b. In my neighbourhood:

c. To fight against:

d. It is necessary:

e. Money donations:

f. To reduce poverty:

g. To lower unemployment:

h. To lend my support:

i. To provide assistance:

j. In my school:

25. Split sentences

1	2	English translation
Il faut porter assistance	bénévolat	
Je me sens	le francais bénévolement	
J'enseigne	la pauvreté	
Je fais du	aide aux devoirs	
Je fais des	aux pauvres	
Il essentiel de combattre	association caritative	
Je fais de l'	utile	
Je sers	des repas	
J'aide dans une	bénévole	
Je suis	dons d'argent	

26. Guided English-to-French translation (try to do as much of it as possible from memory)

a. *People in need*: L__ g_____ d____ l_ b_____

b. *For three years*: D_____ t_____ a____

c. *I am a volunteer*: J_ s___ b_____

d. *In the future*: À l'a_____

e. *I like that a lot*: J'a_____ b_____ c____

f. *In order to help*: P____ a_____

g. *I would like to help the poor*:

J'a_____ a_____ l_ p_____

h. *For refugees*: P_____ d___ r_____

i. *In a charity*: D____ u_ a_____ c_____

j. *Homework help*: D__ l'_____ a___ d_____

k. *The most destitute*: L__ p____ d_____

l. *We must help*: N____ d_____ a_____

m. *To fight against*: L_____ c_____

n. *I make money donations*:

J_ f_____ d__ d_____ d' a_____

27. Translate into English

a. I help in a charity in my town each week

b. I do volunteer work in my neighbourhood every Sunday

c. I feel useful when I help others, which is important for me

d. I believe it's vital to fight poverty

e. We must give assistance to the most destitute

f. I help the homeless to find accommodation

g. To help, I make money donations and I serve meals in a soup kitchen every weekend

h. In the future, I would like to provide assistance to the elderly

28. Write a 120 words composition including the following points

- Talk about what volunteer work you do in your town, neighbourhood or school

- Say how you feel about this work and why

- Say why it's important to help others

- Mention what you would like to do in the future to help

THE LANGUAGE GYM

Key questions

Es-tu bénévole pour une association caritative? Si oui, depuis combien de temps?	*Are you a volunteer for a charity? If yes, since how long?*
Qu'est-ce que tu fais pour aider les autres?	*What do you do to help others?*
Que penses-tu du bénévolat?	*What do you think about volunteering?*
Pourquoi est-il important d'aider les gens dans le besoin?	*Why is it important to help people in need?*
Comment aides-tu les gens défavorisés dans ta ville?	*How do you help the underprivileged in your town?*
À l'avenir, quel type de bénévolat aimerais-tu faire? Pourquoi?	*In the future, what type of volunteering would you like to do? Why?*

Unit 7. Charity and voluntary work (past tense + past conditional)

La semaine dernière, *Last week,*	**j'ai aidé dans une association caritative** *I helped in a charity*	**dans ma rue** *in my street*
Dimanche dernier, *Last Sunday,*	**j'ai fait de l'aide aux devoirs** *I did homework help*	**dans mon lycée** *in my sixth form college*
Le mois dernier, *Last month,*	**j'ai fait du bénévolat** *I did volunteer work*	**dans mon village** *in my village*

J'ai adoré cela *I loved this*	**car j'ai été** *because I have been*	**généreux/euse** *generous*
J'ai beaucoup aimé cela *I liked this a lot*	**car je me suis senti(e)** *because I felt*	**utile** *useful*

Il était essentiel de *It was essential to*	**combattre** *fight*	**la pauvreté** *poverty*
Il était important de *It was important to*	**diminuer** *lower*	**la précarité** *precarity*
Il était nécessaire de *It was necessary to*	**lutter contre** *fight against*	**le chômage** *unemployment*
Il était vital de *It was vital to*	**réduire** *reduce*	**les inégalités** *inequalities*

Il fallait *It was necessary to*	**aider** *help*	**les pauvres** *poor people*
Nous devions *We had to*	**porter assistance aux** *give assistance to*	**les plus démunis** *the most destitute*
Nous voulions *We wanted to*	**soutenir** *support*	**les sans-abris** *the homeless*

Il était de notre devoir *It was our duty*	**de ne pas ignorer** *not to ignore*	**les gens dans le besoin** *people in need*
Il était de notre responsabilité *It was our responsibility*	**de ne pas oublier** *not to forget*	**les gens défavorisés** *the underprivileged*

Pour aider *In order to help*	**j'ai fait des dons d'argent** *I made money donations*	**pour des œuvres de charité locales** *for local charitable organisations*
	j'ai servi des repas *I served meals*	**pour une soupe populaire** *for a soup kitchen*

J'ai enseigné le français bénévolement *I taught French voluntarily*	**pour des réfugiés** *for refugees*	**pendant deux ans** *during two years*
J'ai été bénévole dans une association *I was a volunteer in an association*	**pour des sans domicile fixe (SDF)** *for homeless people*	**pendant quatre ans** *during four years*

Si j'avais eu plus de temps, *If I had had more time,*	**j'aurais aimé apporter mon soutien aux** *I would have liked to lend my support to*	**enfants handicapés** *disabled childen*
Si j'avais pu, *If I had been able to,*	**j'aurais voulu porter secours aux** *I would have wanted to provide assistance to*	**personnes âgées** *the elderly*

1. Match up

La semaine dernière	I felt
Car j'ai été utile	To lend my support
Je me suis senti	I would have wanted
Des enfant handicapés	Unemployment
Apporter mon soutien	Money donations
J'aurais voulu	Last week
Le chômage	Because I was useful
Des dons d'argent	Disabled children
J'ai aidé dans ma rue	I did volunteer work
J'ai fait du bénévolat	I helped in my street

2. Complete the words then translate them into English

a. Bénévole_ _ _ _ :

b. Dans le bes_ _ _ :

c. J'ai ensei_ _ _ :

d. Dans mon ly_ _ _ :

e. La pau_ _ _ _ _ :

f. Des réf_ _ _ _ _ :

g. Une œuvre de cha_ _ _ _ :

h. Des personnes â_ _ _ _ :

i. Des dons d'ar_ _ _ _ :

j. Ne pas oub_ _ _ _ :

3. Phrase puzzle

a. servi J'ai repas des: *I served meals*

b. J'ai le français enseigné: *I taught French*

c. dernier Le mois: *Last month*

d. J'ai généreux été: *I was generous*

e. cela adoré J'ai: *I loved this*

f. été J'ai bénévole: *I have been a volunteer*

g. fixe domicile Des sans: *Homeless people*

h. quatre Pendant ans: *During four years*

i. besoin gens Les dans le: *People in need*

j. utile senti Je me suis: *I felt useful*

4. Complete with the missing words

a. Plus de _____ : *More time*

b. Il _____ aider: *It was necessary to help*

c. Il _____ vital de _____ : *It was vital to reduce*

d. J'ai _____ des _____ : *I served meals*

e. Les _____ dans le _____ : *People in need*

f. J'ai _____ _____ : *I loved to help*

g. J'ai _____ aimé _____ : *I liked this a lot*

h. Il était ____ de ne pas _____ : *It was vital not to forget*

i. Je ____ suis _____ utile: *I felt useful*

j. _____ la _____ : *To fight poverty*

5. Complete the text below with the options provided in the table

J'ai fait du _____ dans mon _____ dimanche _____ et j'ai aimé cela car je me _____ sentie _____ et cela m'a permis de rencontrer des _____ . À mon ___, il a toujours été nécessaire de ____ contre la pauvreté et la précarité, alors pour _____, j'ai servi des ____ pour une soupe _____ pendant une _____.

utile	bénévolat	lutter	gens
avis	aider	populaire	repas
dernier	soirée	suis	quartier

Conversation entre amis (1) (Première partie)

Léa: As-tu déjà été bénévole pour une association caritative?

Mathieu: Oui, j'ai déjà enseigné le français bénévolement pour des réfugiés pendant deux ans. C'était pour une association caritative de mon quartier.

Léa: C'était comment?

Mathieu: J'ai trouvé cette expérience très enrichissante *[enriching]*. Il y avait des personnes des quatre coins du monde et c'était très intéressant pour moi, car j'ai appris beaucoup sur la culture et les coutumes de leurs pays d'origine.

Léa: As-tu eu d'autres expérience de bénévolat?

Mathieu: Oui, la semaine dernière, j'ai fait de l'aide aux devoirs avec les élèves de mon ancien collège. J'ai beaucoup aimé cela car je me suis senti utile et grâce à cela j'ai rencontré de nouveaux jeunes sympas.

6. Find the French for the following words or expressions

a. I found this experience:

b. Thanks to:

c. Four corners of the world:

d. Very enriching:

e. I met:

f. I have already taught:

g. I have learnt a lot:

h. Customs:

i. Homework help:

j. Very interesting:

k. Their countries:

l. How was it?

m. Nice new young people:

7. Answer in English

a. What has Mathieu already been teaching, who to and for how long?

b. How did he find this experience?

c. Where were his students from?

d. What did he learn himself?

e. What did he do last week?

f. Where did that happen?

g. How did he feel about this experience?

h. Who did he meet?

8. Tangled translation

a. J'ai **already** enseigné le **French**

b. J'ai **met** de **new** jeunes **nice**

c. Les **customs** de leurs **countries** d'origine

d. Des **persons** des **four corners of the world**

e. J'ai **did** de l'**homework help** avec les **pupils**

f. **Last week** je me suis senti **generous**

g. **It was** très **interesting** et **enriching**

h. J'ai **a lot** aimé **this** et **I found** cela **useful**

9. Faulty translation – spot the errors in the translations below and correct

a. Le mois dernier, j'ai fait un don d'argent pour une œuvre de charité dans mon quartier
Last week, I made a clothes donation for a charity in my town

b. Pendant quatre ans, j'ai été bénévole dans une association caritative pour les sans domicile fixe
For three years, I was benevolent in a charity for jobless people

c. À mon avis, il a toujours été nécessaire de lutter contre la pauvreté et la précarité, alors j'aide souvent
In my opinion, it has never been necessary to fight against poverty and precarity, so I seldom help

Conversation entre amis (2) (Deuxième partie)

Léa: À ton avis, pourquoi est-il important d'aider les gens dans le besoin?

Mathieu: J'ai toujours pensé qu'il était très important de lutter contre les inégalités et que tout le monde devrait *[should]* avoir l'opportunité de loger, de manger et d'étudier décemment. C'est pour cela que j'aime donner de mon temps. Mais parfois, le temps ce n'est pas assez. Ainsi, hier j'ai aussi fait un don d'argent pour une soupe populaire de ma ville. Le soir, j'ai aidé à servir les repas.

Léa: Parle-moi de cette expérience?

Mathieu: Honnêtement, il était triste de voir combien de personnes ne pouvaient pas se permettre *[couldn't afford]* de se payer à manger. Malheureusement, le nombre de pauvres a augmenté à cause de la pandémie du coronavirus.

11. Find the French for the following expressions

a. I always thought:

b. I like to give my time:

c. I also made a money donation:

d. I helped to serve the meals:

e. It was sad to see:

f. Everyone should have the opportunity:

g. The number of poor people has increased:

h. To help people in need:

i. To be able to afford to pay for food:

13. Translate the following verbs in French

a. I did:

b. I felt:

c. I loved:

d. I taught:

e. I was:

f. I would have liked:

g. I would have wanted:

h. If I had been able to:

10. Answer in English

a. What does Mathieu think everyone should have the opportunity to do decently? (3 details)

b. Apart from giving his time, what else does he do?

c. What did he do yesterday evening?

d. How did he find this experience and why?

e. Which factor has increased the number of poor people recently?

f. What is the word for "sometimes" in French?

12. Complete the translation from Mathieu's second answer

_____ , it was _____ to see how _____ people couldn't _____ to pay for _____ . Unfortunately, the _____ of poor people has _____ because of the coronavirus _____ .

14. Answer the following questions to the best of your ability using the Sentence Builder from this unit and the conversation above for support. Then practice with a partner

a. As-tu déjà été bénévole pour une association caritative? Si oui, c'était comment?

b. Qu'est-ce que tu as fait pour aider les autres la semaine dernière par exemple?

c. Est-ce que tu as déjà aidé d'autres élèves dans ton collège? Si oui, comment?

d. Qu'est-ce que tu as pensé de ton expérience en tant que bénévole?

e. Si tu avais eu plus de temps, qui aurais-tu aimé aider en priorité? Pourquoi?

Conversation entre amis (2) (Première partie)

Damien: Bonjour Léa, parle-moi de ta récente expérience en tant que bénévole?

Léa: Salut Damien. J'ai fait du bénévolat dans mon quartier dimanche dernier pour la première fois.

Damien: C'était comment?

Léa: J'ai aimé cela car je me suis sentie généreuse et cela m'a permis de rencontrer du monde. Pour aider, j'ai servi des repas dans une soupe populaire pendant une soirée. C'était fou de voir le nombre de gens qui n'avaient pas les moyens de s'acheter à manger.

Damien: Est-ce que tu penses qu'il est important d'aider les pauvres?

Léa: Oui, bien sûr. J'ai toujours cru qu'il était de notre responsabilité de ne pas oublier les gens dans le besoin. Je me sens utile quand je donne de mon temps pour les autres. Le mois dernier, j'ai aussi fait un don d'argent pour diverses œuvres de charité. Malheureusement, le temps ne suffit pas. Il faut aussi des moyens financiers pour nourrir et loger ceux qui n'ont pas la chance d'avoir un toit au-dessus de leurs têtes.

15. Gapped translation

a. À ton _____ : *In you opinion*

b. J'ai fait du _____ : *I did volunteer work*

c. C'était _____ de _____ : *It was crazy to see*

d. Pour la _____ fois: *For the first time*

e. J'ai _____ des _____ : *I served meals*

f. Le _____ de _____ : *The number of people*

g. Je _____ de mon _____ : *I give my time*

h. S'_____ à _____ : *To buy food*

i. J'___ toujours _____ : *I have always believed*

j. _____ , bien _____ : *Yes, of course*

k. Le temps ne _____ pas: *Time is not sufficient*

l. Des _____ financiers: *Financial means*

m. Pour _____ : *To feed*

n. _____ de leurs _____ : *Above their head*

o. Rencontrer du _____ : *To meet people*

16. Answer in English

a. Where did Léa work as a volunteer last Sunday?

b. What did she do?

c. How was it? (2 details)

d. What did she find surprising?

e. What's the verb for "to forget" in French?

f. How do we say "luck" in French? Therefore, how would you say "good luck" to someone?

g. What's the verb for "to feed" in French? Is there a verb that sounds similar and means the same in English?

17. Turn the following verbs in the perfect tense, then translate in English

Present	Perfect tense	English
Je fais		
J'aime		
Je sers		
Je crois		
Je me sens		
Je pense		
Je vais		

18. Challenge: translate the following paragraph in English to the best of your ability

Je dois dire que l'association caritative de mon quartier avait beaucoup de succès et environ deux personnes sur trois retrouvaient le chemin de l'indépendance financière grâce à notre aide. Si j'avais eu plus de temps, j'aurais aussi aimé apporter mon soutien aux personnes agées, car j'ai toujours pensé que c'était une des catégories les plus vulnérables de la population et nous avons tendance à les négliger.

Key questions

As-tu déjà été bénévole pour une association caritative? Si oui, c'était comment?	*Have you ever been a volunteer for a charity? If yes, how was it?*
Qu'est-ce que tu as fait pour aider les autres la semaine dernière?	*What did you do to help others last week?*
Qu'est-ce que tu as pensé de ton expérience en tant que bénévole?	*What did you think about your experience as a volunteer?*
Comment as-tu aidé les gens défavorisés dans ton quartier récemment?	*How have you helped the underprivileged in your neighbourhood recently?*
Si tu avais eu plus de temps, qui aurais-tu aimé aider en priorité? Pourquoi?	*If you had had more time, who would you have liked to help as a priority? Why?*

Unit 8. Homelessness (present tense)

Les sans-abris *The homeless*	**sont** *are*	**des gens pauvres** *poor people*
Les sans domicile fixe (SDF) *The homeless*		**des personnes vulnérables** *vulnerable persons*

En hiver *In winter*	**ils ont accès à** *they have access to*	**des centres sociaux** *social centres*
Pendant la saison froide *During the cold season*	**ils peuvent dormir dans** *they can sleep in*	**des foyers d'accueil d'urgence** *emergency shelters*
Pendant les mois les plus rudes *During the harshest months*	**ils peuvent trouver refuge dans** *they can find refuge in*	**des foyers de transition** *transition houses*

Pour s'en sortir *To cope*	**ils doivent** *they must*	**faire la manche** *to beg*
Pour se nourrir *To feed themselves*	**ils ont besoin de** *they need to*	**fouiller dans les poubelles** *to rummage through bins*
Pour survivre *To survive*	**ils sont obligés de** *they are forced to*	**se débrouiller seuls** *to manage by themselves*
		voler *steal*

Très souvent *Very often*	**ils dorment** *they sleep*	**dehors dans la rue** *outside on the street*
La plupart du temps *Most of the time*	**ils vivent** *they live*	**dans les couloirs d'une gare** *in the corridors of a train station*

L'exclusion *Exclusion*	**peut causer des soucis** *can cause troubles*	**d'abus d'alcool** *of alcohol abuse*
La pauvreté *Poverty*		**d'addiction** *of addiction*
La précarité *Precarity*	**peut générer des problèmes** *can generate issues*	**d'alcoolisme** *of alcoholism*
La solitude *Loneliness*		**de santé (mentale)** *of (mental) health*
Le manque d'hygiène *The lack of hygiene*	**peut mener à des problèmes** *can lead to issues*	**de sociabilité** *of sociability*

Ces nouveaux pauvres *These newly poor people*	**sont exposés aux risques** *are exposed to the risk of*	**d'humiliations verbales** *of verbal humiliation*
Ces vagabonds *These wanderers*	**sont souvent victimes** *are often victims*	**de violences physiques** *of physical violence*

Il est de notre devoir collectif *It is our collective duty*	**de les aider à** *to help them (to)*	**se loger décemment** *to find decent accommodation*
Il est de notre responsabilité *It is our responsibility*	**de leur donner un coup de main pour** *to give them a helping hand (to)*	**se réinsérer dans la société** *to reintegrate into society*

 **THE LANGUAGE GYM**

1. Match up

Se nourrir	Our duty
Faire la manche	In order to cope
Ils vivent	Alcohol abuse
L'abus d'alcool	To beg
Des gens pauvres	Transition houses
Pour s'en sortir	Poor people
Foyers de transitions	They live
Un coup de main	On the street
Dans la rue	Health
Les sans-abris	Our duty
La santé	They sleep
Notre devoir	A helping hand
Ils dorment	To feed themselves
Ils vivent	The homeless

2. Choose the correct option

a. Les **sans-abris/sans-manteaux**: *The homeless*

b. **En hiver/Au printemps**: *In winter*

c. Ils **dorment/vivent**: *They live*

d. Un **coup de main/coup de poing**: *A helping hand*

e. Dans **la vie/la rue**: *On the street*

f. Pendant la saison **chaude/froide**:
During the cold season

g. Les mois le plus **rudes/gentils**:
The harshest months

h. Des **foyers/feux** d'accueil: *Shelters*

i. Fouiller dans les **magasins/poubelles**:
To rummage through bins

j. Le **manche/manque** d'hygiène:
The lack of hygiene

3. Phrase puzzle

a. La temps plupart du: *Most of the time*

b. sans Les fixe domicile: *The homeless*

c. d'hygiène manque Le: *The lack of hygiene*

d. d'urgence Des d'accueil foyers: *Emergency shelters*

e. les Dans d'une gare couloirs: *In the corridors of a train station*

f. dans Dehors rue la: *Outside on the street*

g. réinsérer Se société dans la: *To reintegrate into society*

h. d'alcool Des d'abus problèmes: *Problems of alcohol abuse*

i. Un main coup de: *A helping hand*

4. Anagrams

a. auPvrse: *Poor people*

b. arGe: *Train station*

c. aeuvrPét: *Poverty*

d. ivHre: *Winter*

e. nnDore: *To give*

f. voDeri: *Duty*

g. oubPllese: *Bins*

h. ituSoled: *Loneliness*

i. ivreSurv: *To survive*

5. Gapped translation

a. Pendant la saison froide: *During the _____ season*

b. Dehors dans la rue: *_____ on the street*

c. Dans le couloirs d'une gare: *In the _____ of a train station*

d. Des soucis de santé mentale: *Mental health _____*

e. Peut mener à l'addiction: *Can _____ to addiction*

f. Le manque d'hygiène: *The _____ of hygiene*

g. Ces nouveaux pauvres: *These _____ poor*

6. Break the flow (phrases)

a. Pendantlesmoislesplusrudes

b. Lessansdomicilefixe

c. Desfoyersdetransition

d. Uncoupdemain

e. Fouillerdanslespoubelles

f. Dehorsdanslarue

g. Dessoucisdabusdalcool

THE LANGUAGE GYM

7. Complete with the options provided

a. Les sans-abris sont des _____ pauvres et vulnérables

b. La plupart du temps, ils vivent dehors dans la _____

c. Pendant la saison froide, il peuvent _____ dans des centres sociaux

d. Pour s'en _____ ils doivent faire la manche ou _____

e. Souvent, pour se nourrir, ils _____ dans les poubelles

f. Le _____ d'hygiène peut générer des problèmes de santé

g. L'exclusion peut _____ à l'abus d'alcool et à l'addiction

h. Ces _____ sont souvent victimes d'humiliations verbales et de violences _____

vagabonds	gens	fouillent	dormir	mener
physiques	manque	rue	sortir	voler

8. Missing letter challenge

a. En hive_

b. Des centres sociau_

c. Des _ens pauvres

d. L'abu_ d'alcool

e. la pau_reté

f. Notre devoir collecti_

g. Des person_es vulnérables

h. Les sans-a_ris

i. Ils vi_ent

j. Le man_ue d'hygiène

k. Un cou_ de main

9. Faulty translation: spot and correct the incorrect English translations below

a. En hiver ils ont accès à des centres sociaux: In the spring they have access to social centres

b. Pour s'en sortir, ils ont souvent besoin de voler: To cope, they rarely need to steal

c. La plupart du temps, ils dorment dehors dans la rue: From time to time, they sleep outside on the street

d. La solitude peut générer des problèmes de santé mentale: Exclusion can generate mental health issues

e. Des fois, ils dorment dans les couloirs d'une gare: Sometimes, they sleep in the corners of a train station

f. Ces vagabonds sont souvent victimes de violence: These poor people are often victims of violence

g. Il est de notre devoir collectif de leur donner un coup de main: It is our collective duty to give them money

10. Translate into English

a. La plupart du temps:

b. Les sans domicile fixe:

c. Le manque d'hygiène:

d. Des foyers d'accueil d'urgence:

e. Dans les couloirs:

f. Dehors dans la rue:

g. Se réinsérer dans la société:

h. Des problèmes d'abus d'alcool:

i. Fouiller dans les poubelles:

j. Trouver refuge:

k. Ils vivent:

l. Pendant la saison froide

m. Des soucis de santé:

n. Ces nouveaux pauvres

o. Pour s'en sortir

p. Les plus rudes:

q. Notre devoir collectif:

r. Se loger décemment:

s. Se débrouiller seuls:

t. Donner un coup de main:

11. Gapped translation

a. _____ sans-abris _____ des _____ pauvres: *The homeless are poor people*

b. Ils _____ aussi _____ vulnérables: *They are also very vulnerable*

c. En _____, ils peuvent _____ dans des centres _____: *In winter, they can sleep in social centres*

d. Cependant, très _____, ils _____ dehors _____: *However, very often they sleep on the street*

e. Parfois, ils _____ dans les _____ d'une _____:
Sometimes, they sleep in the corridors of a train station

f. Pour _____ ils sont obligés de _____ la _____: *To survive they are forced to beg*

g. _____, pour survivre, ils doivent _____ dans les _____:
Sometimes, to survive, they must rummage through bins

12. Sentence puzzle

a. Les d'humiliations sont exposés aux sans-abris risques verbales
The homeless are exposed to the risk of verbal humiliation

b. vagabonds Ces sont victimes de souvent physiques violences
These wanderers are often victims of physical violence

c. Pour, sont survivre obligés de dans les poubelles ils fouiller
To survive, they are forced to rummage through bins

d. doivent Ils faire la même voler manche ou
They must beg or even steal

e. leur main donner un décemment faut coup de pour se loger Il
It is necessary to give them a hand to find decent accommodation

f. sont seuls Ils de se débrouiller obligés
They are forced to manage by themselves

g. ils dehors dans la saison dorment rue, même la froide Très souvent, pendant
Very often, they sleep outside on the street, even during the cold season

13. Tangled translation

a. Les **homeless** sont **exposed** aux **risks** d'humiliations **verbal**

b. Le **lack** d'hygiène **can** mener a des problèmes de **health**

c. **To** survivre, ils ont souvent **need** de **rummage** dans les **bins**

d. **During** les mois les plus **harsh**, ils dorment **outside** dans les rues ou dans les **corridors** d'une **train station**

e. Les **homeless** sont des **people** vulnérables et **poor**

f. La **poverty** peut **cause** des troubles d'**abuse** d'**alcohol**

g. **These** vagabonds **are** souvent **victims** de violence

h. Nous **must help them** à se loger **decently**

14. Translate into English

a. The homeless:

b. Alcohol abuse:

c. Poverty:

d. The lack of hygiene:

e. To give a helping hand:

f. Outside on the street:

g. They need:

h. They are forced to:

i. To rummage through bins:

TEXT 1 - David

(1) Les sans-abris sont par définition des gens pauvres. Très souvent, par manque d'argent, ils dorment dans la rue, sous un pont ou dans les couloirs d'une gare. Pour s'en sortir, ils doivent faire la manche ou encore fouiller dans les poubelles en espérant trouver de quoi manger et se vêtir *[to dress]*.

(2) Pour survivre, ils sont obligés de se débrouiller seuls et de vivre au jour le jour, souvent à la recherche de quelques opportunités à saisir. En hiver, pendant les mois les plus rudes, ils ont généralement accès à des foyers d'accueil d'urgence ou des centres sociaux qui les aident à trouver un logement pour la saison froide.

(3) Malheureusement, l'exclusion peut générer des problèmes d'alcoolisme, qui eux-mêmes, peuvent mener à des problèmes de santé graves parfois. La solitude des sans domicile fixe peut également causer des soucis de sociabilité et certains d'entre eux refusent toute aide extérieure et ne veulent pas se mélanger *[to mix]* à d'autres personnes.

(4) Ces nouveaux pauvres sont quotidiennement exposés aux risques d'humiliations verbales et sont aussi souvent victimes de violences physiques. Les gouvernements des pays du monde entier essayent de leur venir en aide et il est de notre devoir collectif de leur donner un coup de main pour se loger décemment et se réinsérer dans la société.

15. Find the French equivalent in par. (1) and (2)

a. Poor people:

b. Lack of money:

c. They sleep:

d. Under a bridge:

e. To beg:

f. Rummage through bins:

g. Hoping to find:

h. They are forced to:

i. To manage by themselves:

j. To seize:

16. Complete the translation of paragraph (3)

_____, exclusion can _____ problems of alcoholism, which themselves, can _____ to serious _____ problems sometimes. The loneliness of the _____ can also _____ troubles of sociability and some of _____ refuse all external _____ and don't _____ to mix with _____.

17. Place a tick next to the words below which are contained in paragraph (4) and cross the ones which aren't

a. new	e. world	i. rich
b. to give	f. society	j. daily
c. cause	g. often	k. outside
d. but	h. loneliness	l. try

18. Complete the sentence below based on the text

a. By definition, the homeless are _____

b. Due to lack of money, they _____

c. To cope, they must _____

d. The social centres help them _____

e. Loneliness can cause _____

f. Some of them refuse _____

g. They are exposed to _____ _____ on a daily basis

19. Find in the text above:

a. The opposite of 'vieux':

b. A synonym of 'causer':

c. An adverb starting with 'q':

d. The opposite of 'heureusement':

e. The cold season:

f. The opposite of 'rarement':

g. A synonym of 'sans domicile fixe':

h. A synonym of 'nations':

TEXT 1: Ahmed

(1) Un sans domicile fixe (SDF), c'est quelqu'un qui est caractérisé par l'absence d' habitat. C'est-à-dire que cette personne n'a pas de maison ou de lieu pour habiter, et donc, c'est une personne qui vit dans la rue et qui dort dehors ou sous un pont, par exemple.

(2) Plusieurs termes sont utilisés dans la langue courante pour parler de ces personnes en marge de la société. Ainsi on parle de *marginal*, de *clochard*, de *vagabond* ou bien de *mendiant*. Certaines appellations sont plus ou moins péjoratives. Pour survivre, ces gens vulnérables doivent se débrouiller seuls et vivre au jour le jour.

(3) La précarité et l'insalubrité peuvent mener à des problèmes de santé et malheureusement tous les hivers des sans-abris meurent de froid dans les rues de villes françaises par manque de moyens financiers pour se loger et se nourrir décemment. Ces personnes sont par ailleurs très souvent victimes d'humiliations verbales et parfois même de violences physiques.

(4) En dépit d'un quart de siècle d'impressionnants progrès en matière de développement humain, certains citoyens sont toujours laissés pour compte et doivent surmonter des obstacles quotidiens pour parvenir aux nécessités de base telles que l'accès au logement, à la nourriture, à un système de santé décent, à l'éducation et au travail bien sûr. C'est un triste constat, mais c'est la dure réalité de notre société moderne et il est de notre responsabilité collective de leur donner un coup de main pour se réinsérer dans la société.

20. Find the French equivalent in paragraphs 1 and 2

a. Homeless person:

b. Characterized by:

c. That is to say:

d. Several:

e. Place to live:

f. Who lives:

g. On the street:

h. Under a bridge:

i. In everyday language:

j. Beggar:

k. To survive:

l. People:

m. Manage by themselves:

n. To live from day to day:

21. Answer the questions below about paragraph 3 and 4

a. What causes health problems?

b. What happens every winter?

c. What causes many homeless deaths?

d. What do the homeless lack of?

e. What basic necessities are listed in paragraph 4?

f. What is our collective responsibility?

22. Correct the following phrases which have been copied wrongly from the text

a. Notre responabilite: *Our responsibility*

b. Nécessités base: *Basic necessities*

c. C'est dire: *That is to say*

d. Des problèmes sante: *Some health issues*

e. Une système de santé: *A health system*

f. Ou de lieu habiter: *Or a place to live*

23. Translate into English the following words/phrases from paragraph 4

a. En dépit de:

b. Citoyens:

c. Quotidiens:

d. Surmonter des obstacles:

e. Accès au logement:

f. Nourriture:

g. Un triste constat:

 **THE LANGUAGE GYM**

123

24. Complete with the options provided

Les _____ sont par définition des gens pauvres. Très souvent, par manque d'_____ ils dorment dans la rue, sous un _____ ou dans les couloirs d'une _____. Pour s'en sortir, ils doivent faire la _____ ou encore fouiller dans les _____ en espérant trouver de quoi manger et se vêtir.

Pour _____, ils sont obligés de se débrouiller seuls et de vivre au _____ le jour à la recherche de quelques opportunités à saisir. En _____, pendant les mois les plus rudes, ils ont généralement _____ à des foyers d'accueil d'urgence ou des centres _____ qui les aident à trouver un logement pour la saison _____.

gare	poubelles	jour	pont	sociaux	froide
survivre	sans-abris	argent	hiver	manche	accès

25. Tiled translation

Homeless people are very poor and vulnerable people who live in terrible conditions. They often sleep on the street, under a bridge or in the corridors of a train station. They have lost everything and lack the means to feed or dress themselves. They are forced to manage by themselves and to live from day to day. In order to survive, they rummage through bins and beg and steal sometimes. The lack of hygiene can lead to serious diseases and the loneliness can generate mental health issues, addictions and alcoholism. During winter, unfortunately many of them die outside in the cold.			

Ils sont	dehors	des gens	malheureusement
à des maladies graves	vivent	au jour le jour.	Pour survivre,
souvent	Ils dorment	dans la rue,	et de l'alcoolisme.
ou dans les couloirs	santé mentale,	Ils ont tout perdu	sont
de moyens pour	et de vivre	ou se vêtir.	Les sans-abris
dans des conditions	forcés de	se débrouiller seuls	Le manque d'hygiène
terribles.	ils fouillent	dans le froid.	font la manche
et volent parfois.	se nourrir	peut mener	qui
et la solitude	meurent	des problèmes de	d'une gare.
des addictions	et manquent	sous un pont	Pendant l'hiver,
beaucoup d'entre eux	peut générer	très pauvres et vulnérables	dans les poubelles,

26. Split phrases: form logical sentences joining bits from each column

Les sans-abris sont	la manche
Souvent, en hiver, beaucoup de SDF	de santé mentale
Pour se nourrir, ils doivent souvent	des gens pauvres
Pour survivre, ils sont obligés de faire	maladies graves
La plupart du temps, ils dorment dehors	meurent de froid
Le manque d'hygiène peut générer des	à des risques de violences physiques
La solitude peut causer des soucis	donner un coup de main pour se loger décemment
Les SDF sont exposés	fouiller dans les poubelles
Il est de notre responsabilité de leur	dans la rue

27. Complete with the missing verb

a. En hiver, ils o_ _ accès à des centres sociaux

b. Les sans-abris s_ _ _ des gens pauvres

c. En hiver, ils peuvent d_ _ _ _ _ dans des centres sociaux

d. Pour se nourrir, ils doivent f_ _ _ _ _ _ _ dans les poubelles

e. L'exclusion peut m_ _ _ _ à des problèmes d'addiction

f. La plupart du temps, ils d_ _ _ _ _ _ dehors dans la rue

g. Il est de notre devoir collectif de leur d_ _ _ _ _ un coup de main pour se loger décemment

28. Translate into French

a. *In the winter*: E_ h_____

b. *The homeless*: L___ s_____-a_____

c. *Social centres*: D___ c_____ s_____

d. *Poor people*: D__ g_____ p_____

e. *To find refuge*: T_____ r_____

f. *To rummage through bins*: F_____ d____ l__ p_____

g. *On the street*: D_____ l_ r____

h. *Most of the time*: L_ p_____ d_ t_____

i. *Poverty*: L_ p_____

j. *The lack of hygiene*: L_ m_____ d'_____

k. *In the corridors of a train station*: D___ l__ c_____ d'__ g___

l. *To manage by themselves*: S_ d_____ s____

m. *Health problems*: D__ p_____ d_ s_____

29. Complete with a suitable word

a. Les sans-_____

b. Des _____ pauvres

c. Pendant la _____ froide

d. Des _____ d'alcoolisme

e. Le _____ d'hygiène

f. Donner un _____ de main

g. Se réinserer _____ la société

h. Des problèmes de _____ mentale

i. Les sans _____ fixe

j. Pour s'__ sortir

k. Il est de notre _____ collectif

l. Dans les couloirs d'une _____

m. _____ la manche

30. Tangled translation

a. Les **homeless** sont des **people** pauvres

b. En **winter**, ils **have access** à des centres sociaux

c. **Very often**, ils dorment **outside** dans la **street**

d. Pendant la **season** froide **they** meurent souvent de **cold**

e. Pour **survive**, ils doivent **do** la manche

f. Pour s'en sortir **they must** fouiller **in the bins**

g. Ils sont **forced to** voler

h. Ces **new** pauvres **are** exposés **to the** risques de violences **physical**

31. Add in the missing accents

a. Tres souvent

b. Ils ont acces

c. Des problemes de sante

d. Les necessites de base

e. La pauvrete

f. Ils sont obliges de

g. Decemment

h. Se reinserer dans la societe

32. Translate into French

a. In winter, some homeless people have access to social centres, others die of cold on the street

b. In order to cope, they often need to beg or steal

c. They often sleep outside, under a bridge or in the corridors of a train station

d. Exclusion and loneliness can cause mental health issues

e. They are often the victims of physical violence and verbal humiliation

f. It is our collective duty to help them to find a decent accommodation

g. They are vulnerable and poor people who have lost everything

h. Once a week, I work for a charity. I serve meals for the homeless in a soup kitchen in my town

33. Translate the following paragraphs into French

The homeless are vulnerable people. They are poor and live on the street in very difficult conditions. To survive, they have to rummage through bins, beg and sometimes steal.

During the cold season, generally, they can sleep in emergency shelters, but some of them sleep on a bench in a park or in the corridors of a train station.

The lack of hygiene can lead to health issues and loneliness can cause problems like alcoholism or other addictions.

Some of them have lost everything overnight *[du jour au lendemain]*. Outside, they are exposed to the risks of physical violence and verbal humiliation.

It is important to help them to reintegrate society and to give them a helping hand to find decent accommodation.

34. Guided composition: write a 140 words including the following points

- The living conditions of homeless people in your town

- What they have to do in order to survive

- The types of issues that their lifestyle generates

- The difficulties they have to face on a daily basis

- What you do to help

Key questions

Comment vivent généralement les sans-abris?	*How do homeless people generally live?*
Où dorment les sans domicile fixe?	*Where do the homeless sleep?*
Comment les sans-abris survivent-ils dans la rue?	*How do the homeless survive on the street?*
Comment peut-on aider les sans-abris?	*How can we help the homeless?*
À quel type de risques sont exposés les sans domicile fixe?	*At what type of risks are the homeless exposed to?*
Comment devient-on SDF?	*How does one become homeless?*
Quels sont les problèmes courants liés à la vie de SDF?	*What are the common problems linked to the homeless life?*

Unit 8. Homelessness (imperfect)

Quand étais plus jeune *When I was younger*	**Lorsque je grandissais** *When I was growing up*

Les sans-abris *The homeless*	**étaient** *were*	**des gens pauvres** *poor people*
Les sans domicile fixe *The homeless*		**des personnes vulnérables** *vulnerable persons*

En hiver, *In winter,*	**ils avaient accès à** *they had access to*	**des centres d'hébergement** *night shelters*
Pendant la saison froide, *During the cold season,*	**ils pouvaient dormir dans** *they could sleep in*	**des foyers d'accueil d'urgence** *emergency shelters*
Quand il faisait froid, *When it was cold,*	**ils pouvaient trouver refuge dans** *they could find refuge in*	**des foyers de transition** *transition houses*

Pour manger *To eat*	**ils devaient** *they had to*	**faire la manche** *to beg*
Pour s'en sortir *To cope*	**ils avaient besoin de** *they needed to*	**fouiller dans les poubelles** *to rummage through bins*
Pour survivre *To survive*	**ils étaient obligés de** *they were forced to*	**voler** *to steal*

Très souvent *Very often*	**ils dormaient** *they slept*	**dans un carton** *in a cardboard box*
La plupart du temps *Most of the time*	**ils vivaient** *they lived*	**sur un banc de métro** *on an underground bench*

L'exclusion *Exclusion*	**pouvait causer des soucis** *could cause troubles of*	**d'abus d'alcool** *alcohol abuse*
Le manque de soin *The lack of care*		**d'addiction** *addiction*
La pauvreté *Poverty*	**pouvait générer des problèmes** *could generate issues of*	**de drogues** *drugs*
La précarité *Precarity*		**de santé** *health*
La solitude *Loneliness*	**pouvait mener à des problèmes** *could lead to issues of*	**de sociabilité** *sociability*

Ces nouveaux pauvres *These newly poor people*	**étaient exposés aux risques** *were exposed to the risk of*	**d'humiliations verbales** *of verbal humiliation*
Ces vagabonds *These wanderers*	**étaient souvent victimes** *were often victims*	**de violences physiques** *of physical violence*

Il était de notre devoir collectif *It was our collective duty*	**de les aider à** *to help them to*	**se loger décemment** *to find decent accommodation*
Il était de notre responsabilité *It was our responsibility*	**de leur donner un coup de main pour** *to give them a helping hand*	**se réinsérer dans la société** *to reintegrate society*

1. Complete the table

French	English
Le manque de soin	
	Drugs
	To give a helping hand
Vagabonds	
	Un banc de métro
La plupart du temps	
Dans un carton	

2. Split sentences

Ils dormaient	la manche
Des problèmes	coup de main
Ils devaient faire	de drogues
Pour se	se réinsérer
Victimes de	dans un carton
Donner un	du temps
Les aider à	loger décemment
La plupart	violences physiques

3. Rewrite the words in bold in the correct order

a. Il était de notre **revoid**

b. Ils devaient **erouillf** dans les poubelles

c. Des foyers d'**lcueiac** d'urgence

d. Ils avaient **insobe** de voler

e. Donner un **pouc** de **naim**

f. Se loger **mentcemdé** en hiver

g. Dans un **toncar** ou sur un **cban**

h. Les **anss-risab** étaient des gens pauvres

i. Ils pouvaient **mirord** dans des **yerfos**

4. Complete with the missing accents

a. La precarite peut generer

b. Ils etaient exposes a des risques

c. La precarite pouvait mener a des problemes

d. Ils etaient des personnes vulnerables

e. Tres souvent, ils avaient acces a des foyers

f. Se loger decemment

g. Dans un centre d'hebergement

h. Il etait de notre responsabilite

i. Les aider a se reinserer

5. Complete

a. Ils _____ accès à des centres d'_____ : *They had access to night shelters*

b. Le _____ de _____ : *The lack of care*

c. Très _____ , ils _____ sur un _____ de métro: *Very often, they lived on an underground bench*

d. La _____ du _____ , ils _____ dans un _____ : *Most of the time, they slept in a cardboard box*

e. Quand il _____ froid: *When it was cold*

f. _____ , ils _____ voler: *Sometimes, they had to steal*

g. En _____ , ils _____ dormir sous un toit: *In winter, they could sleep under a roof*

h. Pour s'en _____ , ils _____ faire la manche: *To cope, they had to beg*

i. Pour _____ , ils avaient _____ de fouiller dans les _____ :
To survive, they needed to rummage through bins

j. Pour _____ , ils étaient _____ de _____ : *To eat, they were forced to steal*

THE LANGUAGE GYM

Quand j'étais plus jeune, les sans-abris étaient les gens les plus pauvres dans ma ville. Très souvent, par manque d'argent ils dormaient sur un banc de métro, dans un carton ou dans les couloirs d'une gare. Pour s'en sortir, ils devaient faire la manche ou encore fouiller dans les poubelles en espérant trouver de quoi manger et se vêtir *[to dress]*.

Pour survivre, ils étaient obligés de se débrouiller seuls et d'improviser leur existence quotidienne à la recherche de quelques opportunités à saisir. En hiver, pendant les mois les plus rudes, ils avaient généralement accès à des centres d'hébergement qui les aidaient à trouver un lit pour la saison froide.

Malheureusement, l'exclusion générait souvent des problèmes de drogues pour certains d'entre eux, ce qui pouvait mener à de sérieux problèmes de santé parfois. La solitude des sans domicile fixe pouvait également causer des comportements antisociaux et certains d'entre eux refusaient toute aide extérieure et ne voulaient pas se mélanger *[to mix]* à d'autres personnes.

Je me souviens que ces nouveaux pauvres étaient quotidiennement exposés aux risques d'humiliations verbales et étaient aussi souvent victimes de violences physiques. À l'époque, je travaillais comme bénévole dans une soupe populaire dans mon quartier et je pensais qu'il était de mon devoir de les aider à se nourrir décemment.

David

6. Find the French for the following expressions

a. When I was younger:

b. The poorest in my town:

c. By lack of money:

d. On an underground bench:

e. Hoping to find:

f. Daily existence:

g. To find a bed:

h. Drug problems:

i. In a carboard box:

j. To cope:

k. For some of them:

l. Serious health problems:

m. Antisocial behaviours:

n. External help:

o. To mix with other people:

p. At the time:

q: I remember that:

r. A soup kitchen:

s. I thought that it was my duty:

7. Answer in English

a. What are the three places David remembers seeing homeless people sleep when he was young?

b. What did the homeless have to do in order to cope?

c. What made a difference in the life of the homeless during winter?

d. What are the two issues David mentions linked to exclusion?

e. What could loneliness cause for some of them?

f. What type of risks were homeless people exposed to on the street?

g. What's the French for " I used to work"?

8. Complete the translation of the fourth paragraph

I _____ that these _____ poor people

were exposed _____ to the risks of verbal

humiliation and were also _____ victims of

_____ violence. _____ , I used

to _____ as a _____ in a soup kitchen in

my _____ and I _____

that it _____ my _____ to help them to

_____ decently.

9. Translate in English

a. Ils étaient obligés de se débrouiller seuls

b. À l'époque, je travaillais comme bénévole

c. En hiver, ils avaient accès à des centres d'hébergement

d. Il était important de les aider à se nourrir décemment

e. Pour s'en sortir, ils devaient faire la manche

f. L'exclusion pouvait mener à des problèmes d'abus d'alcool

g. Très souvent, ils vivaient sur un banc de métro

h. Pour manger, parfois ils devaient voler

i. Pour survivre, ils avaient besoin de fouiller dans les poubelles

10. Positive or negative?

a. Dormir dans la rue

b. Passer la nuit dans un lit chaud

c. Manger un bon repas

d. Se loger décemment

e. Fouiller dans les poubelles

f. Mourir de froid

g. Être victime de violence physique

h. Être seul au monde

i. Habiter dans les couloirs d'une gare

j. Travailler comme bénévole

k. Aider les pauvres

l. Des problèmes d'abus d'alcool

11. Complete with the options provided

Je me _____ que quand j'étais _____ il y avait _____ des sans-abris sur la place _____ de ma ville. Pour s'en sortir, ils devaient faire la _____ ou encore fouiller dans les _____ en espérant _____ de quoi manger et se _____ . C'était _____ à voir. En hiver, pendant les mois les plus froids, ils avaient normalement accès à des _____ de transition qui les aidaient à trouver un ___ . Malheureusement, l'exclusion générait souvent des problèmes d'abus _____ pour certains d'entre ___ , ce qui pouvait mener à de _____ problèmes de _____ .

toujours	triste	foyers	vêtir	eux
graves	d'alcool	santé	souviens	lit
poubelles	principale	trouver	manche	petit

12. Translate into French

a. I used to work as a volunteer in a soup kitchen

b. Very often, they slept in a cardboard box

c. It was our responsibility to give them a helping hand

d. Most of the time, they lived on a bench in a park

e. Loneliness could cause troubles of alcohol abuse

f. When it was cold, they could find refuge in transition houses

g. In winter, they could sleep in emergency shelters

h. The homeless were poor people

13. Correct the spelling errors

a. Ils dormé sur un bank de metro

b. Ils avait souvent des problèmes d'alcohol

c. Ils avaient bensin de fouler dans les poubelles

d. Malheurement, ils vivre dans un cartoon

e. Le manque de sain et la precarity

f. Pendant la season freud

g. Danse les kooloirs d'une gare

h. Ils devoir fer le manche

Camille: Salut Stéphanie. Est-ce que tu te rappelles comment vivaient les sans-abris dans ta ville quand tu étais plus jeune?

Stéphanie: Je me rappelle que quand je grandissais, il y avait souvent des sans-abris en train de faire la manche à l'entrée du centre commercial. Ils étaient souvent sales et sentaient mauvais. La plupart du temps, ils buvaient ou ils fumaient.

Camille: Tu étais bénévole pour une association caritative. Parle-moi de cette expérience et du mode de vie des sans-abris?

Stéphanie: Il y avait deux types de sans-abris. Pour certains d'entre eux, la marginalisation était un choix. Ils voulaient vivre à l'écart de la société et refusaient le système établi. Pour d'autres, c'était autre chose: ils avaient tout perdu. Emploi, maison, famille, amis. Tout! Pour ces gens, c'était plus dur à accepter.

Camille: Qu'est-ce que tu faisais pour les aider?

Stéphanie: Tous les samedis, je servais des repas à midi et ensuite je les aidais à remplir des fiches administratives pour leur donner accès à un logement pendant l'hiver et des coupons pour avoir des boissons chaudes ainsi que des couvertures.

Camille: Comment as-tu trouvé cette expérience?

Stéphanie: J'ai trouvé que c'était très enrichissant et une leçon d'humilité aussi. Pour une fois dans ma vie, je me suis sentie vraiment utile car je savais que je faisais vraiment une différence dans la vie de ces pauvres.

14. Find the French for the following expressions

a. When you were younger:

b. I remember that:

c. When I grew up:

d. They were often dirty and smelt bad:

e. They drank or they smoked:

f. Tell me about this experience:

g. For some of them:

h. Was a choice:

i. To live well away from society:

j. Most of the time:

k. A charity:

l. The established system:

m. They had lost everything:

n. Employment, home, family, friends:

o. It was harder:

p. Every Saturday:

q. Hot drinks:

r. Blankets:

s. For once in my life:

t. I found that it was:

15. Answer in English

a. Where did Stéphanie used to see homeless people in her town when she grew up?

b. How does she picture them? (2 details)

c. What were they doing most of the time? (2 details)

d. What are the two types of homeless people she describes?

e. What did she used to do every Saturday to help them? (2 details)

f. What were the coupons she gave out for?

g. How did she find this experience? (2 details)

h. How did she feel about helping homeless people? (2 details)

 **THE LANGUAGE GYM**

16. Complete the translation from Stéphanie's second and third answer

There _____ two types of _____ people. For some of _____ , marginalisation was a _____ . They _____ to live _____ from society and _____ the _____ system. For _____ , it was something _____ : they had _____ everything. _____ , home, family, _____ . _____ ! For these _____ , it was a lot _____ to accept.

Every Saturday, I served some _____ at _____ and _____ I helped them to fill in administrative _____ to give them access to _____ during _____ and some coupons for hot _____ and some _____ .

17. Faulty translation – spot the errors in the translations below and correct

a. Je me rappelle que: *I think that*

b. Quand je grandissais: *When I was tall*

c. À l'entrée: *At the exit*

d. Tous les samedis: *Every Sunday*

e. Je servais des repas: *I served drinks*

f. Des boissons chaudes: *Cold drinks*

g. Une leçon d'humilité: *A lesson in generosity*

h. C'était très enrichissant: *They were very rich*

i. J'ai trouvé que: *I realised that*

j. Je me suis sentie utile: *I felt useless*

18. Translate the following paragraph in English

When I grew up, there were often homeless people on my street. To survive, they had to beg or rummage through bins. It was sad to see. I remember that they were dirty most of the time and they smelt bad too. Some of them drank a lot and they usually slept on a bench in the local park or in the corridors of the train station. Once, I served some meals in a soup kitchen to help them. It was a very enriching experience, but it was also very hard. I felt useful and I also made some money donations to help.

19. Answer the following questions to the best of your ability using the Sentence Builder from this unit and the conversation above for support. Then practice with a partner

a. Est-ce que tu te rappelles comment vivaient les sans-abris dans ta ville quand tu étais plus jeune?

b. As-tu déjà aidé les sans-abris dans ta ville? Si oui, qu'est-ce que tu faisais pour les aider?

c. Comment as-tu trouvé cette expérience?

d. Qu'est-ce que tu voudrais faire pour aider les pauvres dans le futur?

20. Challenge: translate the following paragraph in English to the best of your ability

La marginalisation était parfois choisie par certains individus désireux de vivre à l'écart de la société et de manifester le refus du mode de vie du système établi. Malheureusement, se détacher de cette norme ou s'en exclure menait très souvent à des situations sanitaires précaires ainsi qu'à une rupture brusque des liens sociaux. Sans revenu, il était très facile de se retrouver à la rue et tout cela pouvait arriver bien plus vite qu'on ne le pensait.

J'ai le souvenir que *[I remember that]* tous les hivers des sans-abris mouraient de froid dans les rues de ma ville par manque de moyens financiers pour les loger et les nourrir décemment. Ces personnes étaient aussi très souvent victimes d'humiliations verbales et parfois même de violences physiques en plein jour *[in broad daylight]*.

Key questions

Est-ce que tu te rappelles comment vivaient les sans-abris dans ta ville quand tu étais plus jeune?	*Do you remember how homeless people lived in your town when you were younger?*
Où dormaient les sans domicile fixe pendant l'hiver?	*Where did the homeless sleep during winter?*
Comment les sans-abris survivaient-ils dans la rue à l'époque?	*How did the homeless survive on the street in those days?*
Comment aidais-tu les sans-abris dans ton quartier dans le passé?	*How did you help the homeless in your neighbourhood in the past?*
As-tu déjà aidé les sans-abris dans ta ville? Si oui, comment?	*Have you ever helped the homeless in your town? If yes, how?*
À quel type de risques étaient exposés les SDF en ce temps-là?	*At what type of risks were the homeless exposed to at that time?*
Quels étaient les problèmes courants liés à la vie de SDF dans ta région?	*What were the common problems linked to the homeless life in your region?*